鼠、江戸を疾る

赤川次郎

角川文庫
16025

目次

鼠、起《た》つ

盗み聞き

四尺幅の廊下を、鳥の羽根が撫《な》でるように軽々と進んで来た足が、ピタリと止った。声が洩《も》れて来たのである。

——こんな夜中まで、何をしてやがる。

いまいましくは思ったが、人様の屋敷へ忍び込んでいる身としては、夜ふかしを咎《とが》め立てするわけにもいかない。

しかし、聞こえて来たのは確かに男の声。そして、その障子の向うは、下調べに手抜かりがなければ間違いなくこの家の奥方の寝所のはず。

夫、杉坂浩衛門《すぎさかこうえもん》は今、国へ帰っていて、江戸にはいない。その奥方の寝所から男の声が、こんな夜ふけに聞こえるのは、妙な具合だった。

自然、その話を立ち聞くはめになったが、それはおよそ趣味ではなかった。

「——何とおっしゃいます！」

男の声は一段と高くなって、上ずっていた。

「そんな声を……」

たしなめているのは女の声。

「はあ……。しかし、それは……間違いないのでしょうか」

「間違いであってくれたら……」

深いため息は、諦《あきら》めに似た口調だ。「でも、確かなのですよ。浪江《なみえ》を産んだときと、全く同じ様子なのですもの」

「では……どういたしましょう」

どうやら若い男の声。心底怯《おび》えて震えている。

「どうすると言って……。殿様は来月江戸へ下って来られる。おいでにならぬ殿の子を身ごもるわけもなし……」

「発覚すれば──お手討に？」

「むろんです。殿は、あのご気性だもの、言いわけなどお聞きになる耳は持たれまい」

「では……」

と、絶句する。

──やれやれ。

江戸屋敷で独り寝の寂しさについ、若侍に手をつけた挙句のことか。

しかし、忍び込んだ賊としては、そんな嘆き節をのんびり聞いていたくはないし、興味もない。

そのとき、寝静まっているはずの屋敷の中に、にわかに人の動きが起った。

門が開けられ、誰かが深夜に訪れて来た様子。――賊の鋭い耳は騒ぎをいち早く聞きつけていたが、うっすらと行燈《あんどん》の灯《とも》った寝所では、男と女が一向に騒ぎに気付かず、ため息をつくばかり。

――誰か来る！

廊下をバタバタとあわてふためいて駆けて来る足音を聞くと、ためらわなかった。

素早く障子の中へ滑り込んでピタリと閉める。

夜具の上に起き上った二人は、突然現われた黒ずくめの姿に、一瞬夢でも見ているのかという様子で呆然《ぼうぜん》としていたが、

「賊め！」

侍が枕もとへ手を伸すが、密会にいちいち大小は持参していない。

「お静かに」

と、賊は言った。「今のお二人の話、知れてはうまくないんじゃございませんか？」

「そなた――」

賊は素早く行燈の火を吹き消すと、同時に闇の中でも瞼《まぶた》の奥に、金の入った手文庫の置かれた場所を焼きつけていた。

「しっ」

と、賊は暗がりの中、消えたろうそくから立ち上る煙の匂いを吸いながら言った。

「奥方様！——奥方様！」

転びそうな勢いでやって来た一人が、「お目覚めでございますか！」

女が胸もとを合せて、

「何ごとか？」

「ただいま、お国もとより急のご使者が」

「分りました。すぐ行きます」

「はっ」

足音が遠ざかると、

「私は何も申しませんよ」

と、賊は小声で、「ごめん下さいまし」

障子の白さが暗がりの中にぼんやりとうつっている。そこへチラリと黒い影が動いたと見ると、もう寝所に、二人以外の気配は消えていた。

「伊三郎《いざぶろう》、行っておくれ」

と、奥方が言った。「使者では、そなたも起き出して来なくては」

「はあ。しかし——今の賊はどうしたのでしょう」

「逃げたのであろう。行燈にもう一度火を入れる。早く行って」

せき立てられて廊下へ出た男の背後で、障子がピシャリと閉る。

「──どこへ行った？」

たった今まで目の前にいた、あの黒ずくめの賊は気配もない。あの素早い身のこなし、大胆な行動。

「あれはもしや……」

と呟《つぶや》いたとき、障子の向うで、アッと声が上った。

「どうなされました！」

障子を開けると、奥方が呆然と床の間の前に座り込んでいる。

「奥方様、何か……」

「手文庫が……」

「何と」

「開けられている」

いつの間に？

あの暗がりの中、二人に気付かれずに中身を盗んで行く？　そんな業が可能かどうか。

「──〈鼠〉」

と、男は言った。

「今、何と？」

「あれはおそらく、今、噂の鼠小僧でございましょう」

「方々の大名屋敷に忍び入っているという、賊のことか」

「少なくとも、あの身のこなし、ただ者ではございません」

「あれが鼠小僧……」

奥方はハッと我に返って、「今はそれどころではない。早く行け」

「ごめん」

男は廊下をヒタヒタと小走りに急ぎながら、歯ぎしりしていた。

あれが鼠と知っていれば、この手で引っ捕えてやったものを。

しかし——ともかく賊はすでに屋敷の中にはいない。

そして、次々に屋敷の者たちが起き出しつつあった。

妹

少し足を速めると、懐で小判が音をたてる。

誰もいない夜道というのに、その若党は、小判が音をたてる度に、ギクリとして左右へ目をやるのだった。

急いで帰らなくては。——若党の胸はときめいていた。

その行く手にバラバラッと走り出て来て立ちはだかった男たちがいる。

提灯《ちょうちん》の明りに、見憶《みおぼ》えのある顔が浮かんだ。

「お前らは、さっきの――」

「お見忘れじゃねえらしい。ありがたいね」

小馬鹿にしたように言ったのは、ついさっきまで若党がいた賭場《とば》のならず者たち。

「――私に何か用か」

いい話でないことは若党にも分った。

「あんたは賭場の掟《おきて》をご存じないらしいね」

「何のことだ」

「勝ち逃げってのはいけねえ。その懐の金子、置いて行きな」

気が付くと後ろにも三人ほど。――都合七人もで若党を囲んでいる。

「これは私が勝った金だ。それを持って帰って、何が悪い」

強がってはみたものの、まともに喧嘩《けんか》して勝てるわけがない。――ジリジリと退《さ》がろうにも余地がなかった。

「抜かしやがれ。黙って金を置いて行くか、でなきゃ袋叩《ふくろだた》きの挙句に金を取られるか。どっちにしろ、金を持っちゃ帰れねえんだ。痛い思いをしねえ方が身のためだと思うぜ」

「黙れ！　この金はぜひとも入り用なのだ。渡すわけにいかん」

「聞き分けのねえ坊っちゃんだ」

男が懐から匕首《あいくち》を抜いた。提灯の明りに白く光る。

「腕の一本もへし折られなきゃ分らねえようだな」

「寄るな！」

と、刀の柄《つか》へ手をかける。

「よせよせ。人なぞ斬ったことはねえだろう。それとも、抜いたこともねえかな」

「抜き方を知ってるのかい？」

と、からかいの言葉に笑いが起る。

後へはひけぬ。若党の白い手が刀を抜き放った。

「——やる気か？　こっちも手加減しないぜ」

七本の匕首が輪を狭めて来ると、刀の先をどこへ向けたものやら、それも定まらず、若党の額に汗が光った。


「——何とかしてあげなさいよ」

通りすがり、荒くれ者に囲まれた若党を見ていた町娘が、連れの男をせっついた。

「面倒なことはごめんだ」

連れは肩をすくめて、「下手に仲裁に入って、斬りつけられでもしたら、どうするんだ」

「ちゃんと兄さんのお墓に毎日花を供えてあげるから」

「よせやい。お、始まったか」

若党は無茶苦茶に刀を振り回して、何とか血路を開こうとしている。

喧嘩馴《な》れした男たちも、けがをするのは怖いと見えて、パッと散ったが、といって囲みが広がっただけで、若党の逃げ出る隙はありそうにない。

「ねえ、兄さん」

町娘が兄の袖《そで》を引いて、「見殺しにしちゃ後生が悪いわよ」

「やれやれ、うるせえな」

遊び人、という風情の兄の方が、足どりも軽く出て行くと、「待ちな！——おい、待ちなってば。物騒なもんは納めて、穏便にすまそうじゃねえか」

「余計な口出ししやがると、一緒にあの世行きだぞ」

と、凄《すご》む者もいたが、

「何だ、〈甘酒屋〉じゃねえか」

と、兄貴分の一人が言った。「お前、この青二才の知り合いか？」

「そうじゃねえ。そうじゃねえが——なあ、見ての通り、賭博そのものが生れて初めてって若い衆だ。ここは一つ、勘弁してやんな」

「なあ甘酒屋、俺たちにも意地がある。このまま引っ込んじゃ、どの面下げて帰れるもんか」

「分る。――しかし、ここは一番、けが人が出ねえ内に水入りといこうじゃねえか」

〈甘酒屋〉と呼ばれた男は、抜身を下げて肩で息をしている若党の方へ、「ねえ、聞いた通りだ。あんたは運良く勝ったつもりかもしれないが、そりゃあ勝たせてもらっただけさ。素人と見ると、初めの内、勝たせてやって夢中にさせ、後で裸になるまで巻き上げるのさ」

「何と……。では、あれもいかさまだったと言うのか」

「そう客が簡単に勝って帰ったんじゃ、この連中も立場がねえ。あんたは、元手、いくら持ってなすった」

「――二両だ」

「で、今、懐には？」

「十両」

「じゃあ、元手の二両はいいから、稼いだ分の八両は、こいつらに返してやりなさい。腹も立とうが、このままじゃ、どっちもけが人を出す。自身番の世話になるのも本意じゃなかろう」

若党は肩を落として、

「承知した」

「分ってくれてありがとうよ。——お聞きの通りだ。お前らもそれなら顔が立とうってものだ」

「ここは甘酒屋の仲裁に任せよう」

と、子分たちの方へ肯《うなず》いて見せ、匕首を懐へ戻す。「おい、若《わけ》えの、二度と賭場なんぞへ足を踏み入れるんじゃねえよ」

八両の金を懐へ、男たちは小走りに引き上げて行った。

気が抜けたのか、若党はその場にしゃがみ込んでしまった。

「しっかりしなせえ。——おや、手傷を負ってなさるね。おい、小袖《こそで》」

呼ばれて、木かげから出て来た妹は、

「あら、切り傷ですね。手当てしなきゃ」

と、とりあえず、「兄さん、さらしを切って」

「いや……。構わないでくれ。これしきの傷——」

「小さな傷だって、馬鹿にしちゃいけませんよ。破傷風って怖い病気になって死ぬこともあるんですからね」

さあ、早く、と半ば強引に若党の手を引いて、ともかくその場を後にしたのである。

長屋はまだ眠っていた。

朝もやが井戸の辺りに立ちこめて、空気はひんやりと冷たい。

戸がガラッと開いて、

「雨は夜の内に上ったようです」

と、小袖が顔を出して空を見上げた。「まだ明け切っていませんが、晴れて来そうですよ」

「お世話になりました」

刀を手に現われたのは、昨夜の若党。

「いいえ」

小袖は微笑んで、「何のお役にも……」

——この長屋へ連れて来て、傷の手当てをする間に雨が降り出し、結局一晩泊ることになったのだが……。

「兄はまだ眠っています。ご挨拶《あいさつ》もいたしませんが」

「いずれ改めてお礼に伺うとお伝え下さい」

「そんな大層なことでは……」

「〈甘酒屋〉とか、ゆうべの男たちが呼んでいたが、甘酒を商っておられるのですか」

小袖はちょっと笑って、

「いえいえ。――何もしていない遊び人です。ふざけて『甘酒屋』などと呼ぶのですよ。結構、〈甘酒屋次郎吉《じろきち》〉で通っております」

「次郎吉殿か。――羨《うらやま》しいご身分ですな」

「まあ、そのような……」

「本当です。侍などというのは厄介なもの。どんな無理を言いつけられようとも、口答え一つできませぬ」

「十両の金子のことも、ですか」

「何とかして、今日中にこしらえねば……。では、くれぐれも次郎吉殿へよろしく」

「伝えます。――お気を付けて」

若党の後ろ姿は、すぐ朝もやの中へ消えて行った。

小袖は中へ戻ると、

「おお寒い」

と、軽く震えて、「兄さん。どうせ目が覚めているんでしょ」

隅で薄手の布団一枚かぶって寝ている兄次郎吉は、何も言わなかったが、起きている気配はあった。

「お気の毒ねえ、お侍って」

小袖は兄のそばへ座ると、「——ねえ、十両のお金ぐらい、何とか工面して差し上げられないの?」

次郎吉は背を向けたまま、

「お前がそう言い出すだろうと思ったから、寝たふりをしてたんだ」

「だって——気の毒じゃないの」

「金のねえ奴に、みんな気の毒だって金を貸してたら、きりがないぜ」

「そりゃそうだけど、小太郎《こたろう》さんはご自分のためじゃないんだから」

「小太郎?」

「あの方の名よ」

次郎吉は顔を妹の方へ向けて、

「いつの間に訊《き》き出した?」

「あら、私にはね、何でも打ち明けたくなるんですってよ」

と、澄ましている。

「お前の好みか」

と、冷やかすと、

「よしてよ。そんなんじゃないわ」

と、口を尖《とが》らす。「ご主人様の尻《しり》ぬぐい。それも、れっきとしたお大名、杉坂藩の奥方様のためだっていうんだから」

「どこだって？」

次郎吉が少し顔を上げ、「杉坂といったか？」

「ええ。――呆《あき》れたもんじゃないの。十両ものお金、何に使うのかと思ったら、市中のお医者で、こっそり始末してもらうためのかかりだっていうんだから」

次郎吉は起き上ると、

「杉坂の殿様の奥方が？」

「そう。殿様は江戸におられないのに、奥方様はご懐妊。そりゃ具合が悪いわね」

「そんなことまで話していったのか」

「内心、悔しいのよ。どうしてそんな金の工面に走り回らなきゃならないのか……」

「奥方のお相手にゃ若すぎないか」

「小太郎さんじゃないわよ、むろん。でも、言いつけられれば、いやとは言えず……。今日中に工面できなきゃ、あの人、きっと押込みでもするわ」

「できるもんか」

次郎吉は伸びをした。

「ねえ、いっそのこと、鼠小僧にでも頼んで、十両借金すればいいのに」

「鼠は金貸しじゃねえぜ」

「だからさ、兄さんが何とかしてあげて」

次郎吉は起き出すと、

「人の厄介ごとにゃ係《かかわ》り合わねえに限る。ましてお大名のこととなったら、俺たちには無縁だぜ」

「なに、もう起きるの？」

「ちょっと枕を変えるのさ」

「あの女《ひと》のとこ？——夜は帰ってね」

と、小袖は出て行く兄へ声をかけた。


ただごとではない。

気配、というものが伝わって来る。

少し暮れかかってはいるが、まだ辺りは明るかった。

「——今日はだめだ！　帰れ！」

門番が、出入りの魚屋を追い返しているのを、次郎吉はけげんな顔で眺めていた。

固く閉じた門の中では、人の声すら聞こえて来ない。

中間《ちゅうげん》、馬丁、騒がしい連中が何人もいるはずだ。この静けさは普通でない。

「お人好《よ》しにもほどがあるぜ」

と呟《つぶや》いたものの、妹の頼みには弱い。

人通りが絶えるのを見はからって、次郎吉は素早く塀を越えた。

ひっそりと静まり返った庭。女たちの声も聞こえて来ない。

まるで空家だな。

何か人の気配がして、次郎吉は廊下の隅から滑り込んだ。床下は汚れるから入りたくない。

奥の方で人の声がする。——中庭らしい。

渡り廊下から静かに下りて、敷石を踏んで行くと——。

突然、絞り出すような呻《うめ》き声が聞こえて来て、息をつめた。

何ごとだ？

その呻吟《しんぎん》はずっと尾を引くように、途切れ途切れに続いていた。——誰かが発作でも起しているのか？

「まだまだ！」

と、声が飛んだ。

呻き声は、叫び——悲鳴に近くなっていた。

やっと中庭を覗《のぞ》く位置まで来て、次郎吉は信じがたい光景を見た。

呻いているのは、あの若党——小太郎だった。

切腹。——白装束の小太郎が腹に刃を突き立てている。溢《あふ》れ出た血が中庭の砂利を染めていた。

小太郎の傍らに、すでに白刃を振りかざした介錯人《かいしゃくにん》が立っていたが、

「まだだ！」

という声が、その剣を止めているのだった。

次郎吉も侍の切腹を目の前で見るのは初めてだったが、作法は作法で、自ら腹をかっさばく、とはなっているものの、実際には腹に小刀を突き立てただけで、その苦痛は耐えられるものではない。

ましてや、自分で横一文字に腹を切ることなど、人間業ではない。だから、刺すと同時に、前のめりになった首を、介錯人の剣が斬り落として、楽にしてやるのだということぐらいは、知っていた。

だが、今、小太郎は刀を腹に突き立てたまま、悶《もだ》え苦しんでいる。介錯の剣は振り上げられたままだ。

「殿——」

たまりかねたような声がした。

「まだだ！」

姿は見えない。――冷酷な声だけが、次郎吉の耳に届いた。

早く終らせてやれ！

次郎吉は叫びたいのを呑《の》み込んだ。

介錯人すら、あまりの悲惨に表情が歪《ゆが》んでいた。

「恩知らずな奴に情をかけることはない」

せせら笑うような口ぶりだった。「もっと腹を切れ！　だらしがないぞ！　それでも武士か！」

次郎吉は身震いした。――ひどいことをしやがる。

小太郎は、もはや正座していられなくなって砂利の上に這《は》い、左手で握りしめた砂利がきりきりと音をたてる。

「よし」

というひとことで、介錯人の白刃が弧を描いた。

――小太郎の苦しみは終った。

「よく見ておけ」

と、その声は言った。「主《あるじ》を裏切ると、こういう目に遭うのだ」

次郎吉はいつしか懐の十両の包みを、汗のにじむ手で握りしめていた。

手向け

誰か墓参りに来ているとみえる。

川口《かわぐち》伊三郎は、風にのって来る線香の匂いに、そう思った。

しかし、寂れた墓地である。寺そのものが荒れ果てて人気もない。

当然、墓を世話する者もいないのだろう。

伊三郎は足を止めた。

真新しい白木の墓標に花を手向け、手を合せているのは小柄な町人。

何者だろう、と伊三郎はいぶかしく首をひねった。

そもそもあの墓が誰のものか、知っている者は多くないはずだ。

伊三郎が近付いて行くと、その男は立ち上って、

「この仏へ？」

と訊《き》いた。

「うむ。――おぬしはこの仏とどういう係りだ」

と、伊三郎は訊いた。

「ほんの行きずりで。ちょいとしたもめごとでお困りのところでしたので」

「そうか」

伊三郎は肯《うなず》いて、「では、小太郎がならず者に囲まれたとき、救ってくれた者がいると聞いたが、それが……」

「手前でございます」

「それはそれは。――小太郎に代って礼を言う」

「それほどのことじゃございません」

男はいかにも身軽に退《さ》がると「どうぞ」

「うむ」

伊三郎は、墓標に花を供えて、線香の火をうつした。

「――全くねえ。あんなにお若い身で。お気の毒なことだ」

男は腕組みをしていた。

「おぬし、どうして小太郎が死んだと知った？」

伊三郎は手を合せながら訊いた。

「噂でございますよ」

「噂？」

「お屋敷の中のことは、もちろん口外するなと厳しくお申しつけでしょうが、人の口に戸は立てられぬと申します」

「噂になっているのか」

「へえ。小太郎さんが殿様の目の前で切腹されたことも」

「それまで……」

伊三郎は愕然《がくぜん》とした。「瓦版《かわらばん》などにのることはあるまいな」

「さて、どうでしょうか。色々性質《たち》の良くないものもおりますからね」

「藩の名に傷がつくようでは困るのだが」

「切腹に相当のわけがありゃ、お困りのこともございますまい」

「いや、それが困るのだ。小太郎のしたこと自体、公になれば、お上より咎《とが》めだてされないとも限らん」

「一体何をなさったんです、小太郎さんは？」

伊三郎は少したためらって、

「——小太郎が世話になったから言うのだが、これは外聞をはばかることで」

「呑み込んでおります」

「おぬし——」

「甘酒屋次郎吉と申します。ご覧の通りの遊び人で」

いかにも身なりはその通りだが、発散している雰囲気は、物静かで張りつめている。

「次郎吉殿か。おぬしは信用できそうだ」

「おぬしに救ってもらったのも、賭場《とば》でのいざこざだったと聞いたが、あの小太郎、いつ覚えたのか、賭《か》けごとに溺《おぼ》れるようになってな」

「恐れ入ります」

「殿には、江戸での急な入費に備えて、お屋敷に数百両を用意されていた。その内の百両が、奥方様の寝所の手文庫に入れてあったのだが、小太郎は賭けの借財を返すのに困り、その百両を盗み出したのだ」

「ほう」

次郎吉は少しの間黙っていたが、

「――小太郎さんが白状なさったんですか」

と言った。

「うむ。――あれはもともとみなし子でな。拙者の父が哀れに思い、手もとに置いて育てた者。まさか、そんな真似をしようとは思わなかった」

伊三郎は、白木の墓標へ目をやると、「腹切って、罪を償ったのが、せめてもだ」

「では……」

次郎吉は嘆息する。「この墓も、いずれ誰一人訪れる者もなく、忘れられていくんでしょうねえ」

「次郎吉殿といったな。もしよければ、この墓に時々花を手向けてやってはくれまいか」

伊三郎は懐中から財布を取り出し、「少ないが」と、小判を一枚差し出した。

次郎吉は、それをチラリと見ただけで、

「しかし、妙でございますねえ」

「——妙、とは？」

「奥方様のご寝所の手文庫から、百両が消えたとおっしゃいますが、私が中を覗《のぞ》いたときには、もう手文庫は空でございましたよ」

「何と？」

「それに、奥方様とご一緒におられたのは、伊三郎さん、あなただ」

「貴様！」

伊三郎の刀が鞘《さや》を払って空を斬った。

だが、次郎吉の体は宙へ飛んで、手近な墓石の頂に立っていた。

「貴様が〈鼠〉か！」

「ああ。そんな刀に斬られるような鼠じゃねえよ」

「おのれ！」

伊三郎の剣が走った。しかし、次郎吉は隣の墓石、向いの墓石と、まるで敷石の上を飛ぶように、狭いその頂に巧みに飛び移って行った。

伊三郎は、幻を追い回すかのように必死に宙を斬りまくった。

地面に下り立った次郎吉が、匕首《あいくち》を抜いて身構えた。

「逃がさぬぞ」

伊三郎が剣を大上段に振りかぶると、墓石の間から素早く走り出た人影が、その脇腹へ突き当った。

伊三郎がハッと息を吸い込む。

次郎吉の手から匕首が真直ぐに飛んで、伊三郎の胸に突き立った。

伊三郎の体がグラリと揺れて、脇腹を深く抉《えぐ》った小太刀が引き抜かれると、そのまま地に伏した。

「——おい、小袖」

次郎吉が舌打ちする。「余計な真似をするんじゃねえ」

「兄さんを助けたわけじゃない。小太郎さんが哀れでさ。こんな主人に義理立てして、罪をかぶって死ぬなんて!」

帯の後ろに差した鞘を抜くと、小太刀の血を花紙で拭《ぬぐ》って、それに納め、「これでも気持はおさまらないけど」

「後は任せろ」

次郎吉は匕首を取り戻すと、「どうせ、こいつも忘れられる定めさ」

と肩をそびやかした。

闇の声

首の辺りに、チクリと刺すような痛みがあった。

蚊に刺されたかな? もう蚊の出るという時期でもないが……。

杉坂浩衛門は、うっすらと目を開けた。

まだ深夜だ。明りの消えた寝所では、ほとんど闇そのもの。

しかし、目が少し馴《な》れてくると、何かが自分の上に覆いかぶさっているのが分った。

誰かいる!

頭を起こそうとして、首にはっきりとした痛みを覚えた。

「そのままで」

その声は、すぐ顔の上、息のかかりそうな近さだった。

「何者だ」

「お静かに」

と、その声は言った。「今、短刀の刃が、殿様の喉《のど》に当っております。こいつは無銘ですが、むやみとよく斬れるんでね。少しでも動かれると、スパッと行きます」

「——盗人か」

「まあ、そのようなもので」

と、「声」は言った。「この短刀はぴくりとも動きません。もしおけがなさるとすりゃ、殿様の方が動かれたからで」

落ち着き払った口ぶり。——これはただの「盗人」ではない。

浩衛門の額に汗がふき出た。

「お庭番か」

お庭番とは、公儀の隠密《おんみつ》のことである。

「どういたしまして」

と笑って、「そんな立派なもんじゃございません。人は〈鼠〉なんぞと呼びます。ケチな小泥棒でさ」

「なに。お前が〈鼠小僧〉か、あの？」

「そんなところで」

「金なら——そこの手文庫に三十両ほどあるが。ここには大して置いておらぬ」

「それはもうちょうだいいたしました」

「では——何が望みだ？」

「滅多にないことでして。同じ手文庫を二度も開けるってのは」

「二度、とは？」

「先ごろも、一度こちらへお邪魔しましてね。奥方様がおやすみでしたが」

「なに？　ここへ入ったのか？」

「小さなお声で。——あれはとんだむだ骨でございました」

「何のことだ」

「手文庫は空でしたのでね」

「——なに？」

「手文庫の百両、切腹した若党が盗んだことになっているようですが——殿様が江戸へ出ておいでになる前に、手前は手文庫が空なのを見てるんで」

「何の話か……」

「今、具合が悪くて伏せっておられる奥方様は、空なのをよくご存じでいらしたはずでございますよ」

「それは……」

「盗人風情の言うこと、とお思いかもしれませんが、わざわざ好きこのんで、嘘八百を並べにやって来やあしません」

「何が言いたい」

「品川の船宿『宝船』へおいでになってごらんなさい。宿の主人をちょっとおどせば、すぐ白状しましょう。奥方様がそこの常連で、色男の役者だの、目をつけなすった小姓だのを連れ込んでいた、と」

「――りくが？」

「百両は、口止め料こみで、その船宿の払いに消えたんでさあ。突然、殿様が江戸へおいでになったので、ごまかす間もなく、盗まれたと騒ぎ立て、若党に罪をなすりつけたんで」

「それは真《まこと》か」

「ご自分でお調べになることですね。その上で、奥方様にお訊《き》きなさい」

その声は、少し間を置いて、「――得心なされたら、哀れな若党の骨を、きちんと葬ってやりなさい。手を合せ、詫《わ》びてやらにゃ、浮かばれませんぜ」

「しかし――奴は白状したのだ」

「よしんば、本当に盗んだとしても、あの切腹はむご過ぎやしませんかね」

「貴様――見たのか」

「見もし、聞きもいたしましたよ。『まだだ！』と、無慈悲におっしゃる殿様のお声をね」

喉に当てられた刃が、わずかに動いた。皮一枚、ピッと切れるのが分って、大名の体は恐怖に震えた。

「あれは――わしが言ったのではない！」

「この耳は確かでございますよ」

「しかし──しかし、川口が──川口伊三郎という者が、盗んだのは己れの家の若党だと……」

「そのお方なら、もう安らかにお眠りでございます」

「なに？」

「本当なら、殿様、あんたの首をスッパリとやりたいところだぜ」凄味《すごみ》のある声だった。「しかし、殿様一人の命じゃねえ。家来衆や貧しい百姓が苦しむばかりだ。あんたのことは生かしておきましょう」

「金は出すぞ」

「いや、他にいただきたいものがありましてね。──よろしいですか。動いちゃいけませんぜ」

ヒヤリと冷たい感触が喉に貼りつく。

「朝まで、身動きしねえことだ。少しでも動くと、この短刀の斬れ味を思い知ることになりますぜ」

──それきり、〈鼠〉は黙った。

しかし、冷たい刃は喉に当てられたままだ。

助けを呼ぶこともできず、おびただしい汗が寝具にまでしみ込んだ。

そして――やっと障子の外に明るさが見えたとき、杉坂浩衛門は、自分が一人きりでいること、喉にひんやりと当っているのは濡《ぬ》らした一本の糸に過ぎないことを発見した。

「出会え！――曲者《くせもの》だ！　出会え！」

かすれた声で叫ぶと、廊下にバタバタと足音がした。

「殿！　ご無事で！」

と、寝所へ駆け込んで来た家来たちは、一瞬の間を置いて、アッと口を開け、絶句した。

「何だ！　早く曲者を捜せ！」

「殿――。髷《まげ》が……」

「なに？」

自分の頭へ手をやって、杉坂浩衛門は愕然《がくぜん》とした。

鼠が何を欲しがっていたのか、今初めて知らされたのである。

「兄さん」

小袖が出しなに、寝ている次郎吉へ声をかけた。「御膳《ごぜん》は起きたら食べてね」

寝床からは返事とも言えないような呻《うめ》き声が聞こえただけだった。

引戸に手をかけて、

「そうそう」

小袖が振り向くと、「今朝、日本橋の畔《ほとり》にね、お侍の髷が木の枝からぶら下げてあったんですって。札がついてて、杉坂藩主、杉坂浩衛門の髷って書いてあったんですってよ」

「ふーん……」

「愉快なのはね、それに値札がついてて、〈金一文也《なり》〉ってあったんですって。お役人が駆けつけて、持って行ったらしいけど、もう評判よ。――きっと〈鼠〉の仕業だ、ってね」

小袖は元気にバタンと戸を閉めて出て行った。

月明りの下、江戸の町を見下ろす高台の屋敷の屋根に、次郎吉は腰をおろしていた。

江戸は寝静まっている。

こんな時刻に出歩いているのは野良猫か、それとも〈鼠〉。

しかし――俺は何をしているんだ。

たかが一介の盗賊に過ぎないくせに、「正義」とやらにこだわって、一文にもならない仕事をしたりしている。

いかにも馬鹿げたことではないか。

次郎吉は、月光を受けて果しなく続く甍《いらか》の波を、こうしてただ眺めているのが好きだった。小さいころから、暇があればよく屋根に上ったものだ。

それがまさか「商売」になろうとは、思ってもいなかったが。

しかし、今も時々次郎吉は思うことがある。自分が盗人稼業をやめないのは、こうして夜の江戸の町を見下ろすのが好きだからかもしれない、と。

もちろん捕手に追われているときに、そんな悠長な真似はしないが、目当てのものを盗み出し、早くその場を離れた方がいいと分っていながら、この光景に思わず見とれてしまうことがあるのだ……。

見渡す限りの、この屋根の下には、江戸町民の喜怒哀楽が、日々の暮しがあるのだ。その一つ一つに思いをめぐらせ、ささやかな家族の幸せを見るのが、次郎吉は何よりも好きだった。

武士の名誉だの意地だの、そんな下らないものとは係《かかわ》りない、名もない人々。

自分もその一人に過ぎない。

ただ違うのは、自分が〈鼠〉という名を持っていること。――自分で名のったのではないが、いつしか人にそう呼ばれるようになったのだ。

これが俺の生きる町、俺の故郷だ。

次郎吉は、腕組みをして、月を見上げた。

呼子《よぶこ》の鋭く鳴る音が、静寂を破った。

「〈鼠〉だ！　〈鼠〉がいるぞ！」

足元の露地に、岡っ引きの姿が見えた。

次郎吉はあわてるでもなく、

「ご苦労様。しかし、まだ捕まるわけにはいかねえんだ」

と呟《つぶや》くと、屋根の上を軽やかに駆けて行った。

「そっちだ！――向うへ回れ！」

二人、三人と捕手が集まって来る。

次郎吉は暗い溝の手前まで来て、

「あばよ」

と、誰にともなく声をかけると、溝の向うの屋根へ向って、江戸の空を飛んで行った。

鼠、泳ぐ

人相書

ギョロリと大きな目が高札《こうさつ》から次郎吉《じろきち》をにらんでいた。

七、八人の人だかり。江戸は忙しいのだ。そうそう手配の人相書をのんびり眺めていられはしない。

「——兄さん、どうしたの？」

先へ行きかけた妹の小袖《こそで》が、いぶかしげに戻って来ると、「早く行きましょ。雨になるわよ、じきに」

「ああ」

と返事はしたものの、次郎吉は高札の前から動かない。

小袖も、口では気のないように言うものの、兄と並んで高札を見上げ、

「いかにも柄の悪そうな人相ね」

と言った。「この間の弥彦屋《やひこや》の押込み？　店の小僧と下働きの娘が殺されたんだったわね」

「たかだか五両ばかりの金でな。人の命も安くなったもんだ」

「可哀そうにねえ。──でも、特徴のある顔じゃないの。その内捕まるわよ」

「そうだな」

「ねえ、行きましょ。帰りに濡《ぬ》れたくないわ」

小袖が兄の腕をつついて言った。

「まあ、きれいに直ったわねえ」

小袖が簪《かんざし》を手に、感嘆した。

「大した腕だ。──いかほどだい」

次郎吉は、白髪の職人に支払いをすませると、「そんなもんでいいのか。すまねえな」

「どういたしまして。手前のこさえました品は、傷めば元通りにいたしませんと」

「しかし、こいつは妹のはねっ返りのせいだ」

小袖が、いらないことを言って、と兄をにらむ。

次郎吉は気付かぬふりをして、涼しい顔でその狭いなりにきちんと片付いた仕事場を眺め回した。

「ありゃみごとな細工だな」

次郎吉が目を留めたのは、棚に札をつけて置かれた金の簪。

「ああ、あれですか」

「まあ、豪勢なものね」

小袖も目をみはる。

「ご注文があって、まるまるひと月、ほとんどあいつにかけたんですが……。引き取りに来られるかどうか」

職人は渋い顔をした。

「なるほど」

次郎吉は札の文字を読み取って、「例の弥彦屋からの注文か」

「あんなことがありましたんでね。お店もそれどころじゃねえかも……」

言っているそばから、

「ごめんなさいよ」

と、次郎吉たちの後ろで声がした。

「こりゃ弥彦屋の——。お待ち申しておりました」

白粉《おしろい》がかすかに匂って、粋な身のこなしで次郎吉たちの間へ割って入ったのは、弥彦屋のお内儀《かみ》。

「とんだことでございましたねえ」

と、職人が立ち上って、「仕上っております」

「見せておくんなさいな。——ああ、こりゃあよくできたね」

「恐れ入ります」

次郎吉と小袖は、じゃ、これで、と会釈してみせ、金細工師の店を後にする。

「——あれが弥彦屋の後妻さんね」

「倍も年齢《とし》が違うって評判だな」

「いいとこ二十五、六だわね」

小袖は足を止め、「私、ちょっとお稽古《けいこ》に寄って行くわ。兄さんは？」

「俺も行く所がある。——お前、傘は？」

「降ったら、先生に借りるわよ」

「また簪を壊すなよ」

と、次郎吉は言ってやった。

「お稽古」といっても、踊りや清元《きよもと》ではなく、小袖が通うのは、小太刀の道場。当人が好きでやっているのだ。何を言っても始まらない。

——次郎吉は、ある古寺の境内へ入ると、人気のない、さびれた気配に、

「ちっとも変らねえな」

と呟《つぶや》いた。

烏の鳴く声が頭上で飛び交った。

裏手へ回った次郎吉は、クモの巣の張った床下を覗《のぞ》いて、少しの間息を殺していた。

暗がりの奥に、かすかに動くものの気配がある。

「刃物は持ってねえだろうな」

と、次郎吉は言った。「あわてるなよ。俺は岡っ引きじゃねえ」

「誰だ！」

と、怯《おび》えた声がした。「何しに来やがった！」

「落ちつけって、喜平次《きへいじ》」

「何だと？」

「次郎吉だよ」

少し間があって、

「──次郎吉か？　あの次郎吉？」

「でなきゃ、お前がここにいるなんて知りゃしねえさ」

「違《ちげ》えねえ。──確かに次郎吉だ！」

床下の暗がりから這《は》い出して来たのは、埃《ほこり》やクモの巣だらけの、さしずめ生きたボロぎれというところ。

「ひでえなりだな」

次郎吉は苦笑した。「食いもんはどうしてる？　持ってきてやるぜ」

「ありがてえ！　水はそこいらの清水で飲めるがな。水ばっかりで腹がふくれちまう」

「少し待ってな。握り飯でもあつらえて、じきに戻る」

「すまねえな。でも、どうしてここへ……」

「人相書を見て、一目でお前だと思った。お前が姿を隠すとしたら、ここしかねえ」

「人相書が、そんなに似てたかい」

「ああ、そのギョロ目が、そっくりだったぜ」

次郎吉はニヤリと笑って、「人目につかねえように待ってな」

飛ぶように境内から駆けだして行く。


雨もよいの夕暮どき、とりあえず次郎吉が買い込んで来た握り飯を貪《むさぼ》り食う音が、人気のない古寺の床下に響いているのは、妙なものだった。

「――やれ、これで何日かは生き長らえそうだ」

と、少し腹具合の落ちついたらしい喜平次が言った。

「古い布団だが、ねえよりゃましだろう」

と、次郎吉は紐《ひも》を切って、布団を広げた。

「ありがてえ……。幼なじみってのはいいもんだな」

喜平次はしみじみと言った。

「今日のところは、これで辛抱しな。また、お前をどうするか、よく思案してから来る」

「次郎吉。ありがてえが、お前にまでとばっちりが行っちゃ面目ねえ。もうこれで充分だよ」

次郎吉は、そんな言い分を聞きさえしなかった、というように、

「しかし、喜平次。お前、何だってあんなはめになったんだい」

と、問いかける。

喜平次は汚れた顔の無精ひげを撫《な》でて、

「身から出た錆《さび》ってやつさ。忘れてくれ」

「馬鹿言っちゃいけねえよ。お前に押込み強盗ができるかどうか、知らねえ俺だと思うのか」

次郎吉は叱りつけるように言った。

「でもな……お前はもう何年も俺のことなんぞ見ちゃいねえじゃねえか」

喜平次は湿った声で、「俺は――江戸を離れていたんだ。こいつも、ちっとばかしわけがあってのことだが。上方へ行って、あれこれ賃仕事でその日暮しをしている内に、悪い仲間にそそのかされてな。忙しい体になって江戸へ舞い戻った。――今度のことがなくても、いずれ三尺高え台に首をさらす身だ」

「お前がどんな悪党になったか知らねえが、やってもいねえことで獄門は筋が通らねえ。それにな、お前が下手人てことになりゃ、本物の下手人が大手を振って往来を歩いてるっ

てことだ。そいつがまたいずれ、どこかへ押し入って、人を殺《あや》めるかもしれねえ。分るか?」

「ああ……。そんな風にゃ考えてみなかったぜ」

喜平次は目がさめたように、「だが、次郎吉、どうして弥彦屋の押込みが俺じゃねえと思ったんだい?」

次郎吉は皮肉めいた笑みを浮かべ、

「誰だって、悪にゃなれるさ。しかし、生れつきの不器用は変るめえ。お前に、戸締りした大店《おおだな》へ忍び込むなんて芸当がやれるもんかい」

「まあ……図星だな」

「昔から、お前は釘《くぎ》を打とうとして玄翁で親指を叩《たた》く奴だったじゃねえか。戸板一枚、外すのも無理だな。逆立ちしたって、お前は〈鼠〉にゃなれねえよ」

喜平次は苦笑して、

「言ってくれるぜ。〈鼠〉は殺生をしねえだろ。弥彦屋をやった奴とは違う」

「お前、弥彦屋とどういうつながりがあるんだ」

と、次郎吉は訊《き》いたが、喜平次は答えず、

「降り出しそうだぜ。もう行ってくれ」

と、拝むように言ったのだった……。

素性

河原にたき火の明りがゆらめいて、その周りに集まっている数人の女たちが、まるで踊りの輪でも作っているように思えた。

夜ふけになって、雨は上ったが、湿った夜風は冷たかった。

砂利を踏む足音に、女たちの話し声が途絶えた。

「――何か用かい」

と、一人が用心深い目つきで、「ここは私らの場所だよ。客の来る所じゃない」

「客じゃねえんだ。邪魔して悪いな」

次郎吉は、徳利《とっくり》を荒縄の先に下げていた。「手みやげ代りだ。ちっとは体が暖まろう」

「おや、気がきくね」

女の口調がガラリと変った。「茶碗《ちゃわん》はあるかい、誰か？」

「欠けたのならね」

「底さえ抜けてなきゃいいさ」

白塗りの顔が、いくつも並んで見えるのはちょっと無気味だった。

通りすがりの男の袖《そで》を引いて商売をする夜鷹《よたか》たちである。

「おや、あんた、〈甘酒屋〉さんだろ」

もういい加減老けた一人が、次郎吉を見知っていたらしい。

「こんな所に何の用だい」

「人を捜してる」

と、次郎吉は言った。

「この辺りで商売をしてると聞いたんだが。登美《とみ》さんって人はいねえかい」

一瞬、女たちが黙った。

「当りだね。どちらが登美さんかね」

次郎吉の問いに、

「ここにゃいないよ」

と、一人が答えた。「あの橋の下辺りへ行ってみな。たぶん一人で寝てるよ」

「この寒さにかい？」

「私たちが締め出してるわけじゃないよ。あちらさんが近寄らないのさ」

「ちょっとお高く止ってってね。以前はどこやらのいいご身分だったそうだから」

女たちは冷ややかだった。

「そうか。ありがとうよ」

次郎吉は橋の下へと足を運んだ。

えらく暗いので、少し立ち止って、物音がするのを待った。

咳《せき》込むのが聞こえて、

「——登美さんかね」

と、次郎吉は見当をつけて声をかけた。

「誰だい？」

大儀そうな口調である。

「ちょっと尋ねたいことがあってね。——どこだい？」

ゴソゴソと音がして、河原に打ち捨てられた小舟の中に、起き上った女がいた。

「なるほど、ここがあんたのねぐらか」

「居心地は良くないがね」

と、女は少ししゃがれた声で、「何か用なら、早く言っとくれ」

「娘さんがいるかね。千代《ちよ》さんって」

しばらく答えはなかった。次郎吉は、

「今、十六歳の……」

「昔のことで、忘れたよ」

と、女は言った。

「正直に答えてくれ。あんたの娘か」

「——たぶんね」

るさ」

と、女は言った。「千代が何だっていうんだい。もう十年も会ってない。向うも忘れて
「登美さん」

次郎吉は静かに言った。「気の毒だがね、千代さんは死んだよ」

登美は、呆気《あっけ》に取られて、

「――悪い冗談だよ」

「弥彦屋の押込みのこと、聞いてないか。千代さんは、弥彦屋で働いてた。運悪く、賊とバッタリ出くわしたらしい。殺されたんだ」

「千代が……。殺された？」

女の声が震えた。

「そのとき、一緒に手代の清吉《せいきち》というのも殺されてる。清吉という男、知ってるかね」

次郎吉の話など、もう耳に入らない様子だった。

「千代が……死んだ……」

うわごとのようにくり返すと、「あんたは……千代を知ってなすったかね」

と訊いた。

「いや、残念ながら」

「じゃあ……あの子がどんな風に育ったか、見ちゃいないんだね」

登美は乾いた声で、「盗賊に殺されるなんて……。可哀そうに！　そんなことなら、いっそ手もとに置いときゃ良かったよ」

次郎吉は、やっと目が慣れて来て、白塗りの横顔に、どこか気品のある人柄を見ていた。

「わけのありそうな様子だね」

と、次郎吉は言った。「なあ、一度ゆっくり話を聞かせちゃくれめえか。今すぐとは言わねえ」

登美はゆっくりと次郎吉の方へ顔を向けて、

「でも、どうしてここに母親がいると分ったんだね」

「色々噂話に通じた知り合いがいてね」

登美は、ちょっと鼻先で笑って、

「どうやらあんたも堅気じゃなさそうだ。――あんたに話をして、何か得になることでもあるのかい」

「千代さんの墓参りをさせてあげようじゃねえか」

次郎吉の言葉に、登美はハッと息をのんで、

「――ありがとう」

と、頭《こうべ》を垂れた。

「それで、さっきの話だが――」

「清吉っていったかね。心当りはないね。もし思い出したら、教えるよ」

「頼んだぜ。──明日の夜、また寄らしてもらうよ」

「待ってるよ」

登美は、心をこめた言い方で言った。「あんた、名は？」

「次郎吉。〈甘酒屋次郎吉〉といって、ちっとは知られた遊び人さ」

「次郎吉さんか。──知らせてくれてありがとう。何も知らずにいるところだったよ」

「そう言ってくれると、俺も少しは救われるよ。じゃ、寒いからな、体に用心しなせえ」

「ああ。次郎吉さん、あんたもね」

次郎吉は、橋の上へ身軽に上って、夜道を行きかけたが──。

「何者だ！」

と、誰何《すいか》したのは、五、六人連れの侍たちの一人で、

「名のるほどのもんじゃござんせん」

「町人が、何の用で──」

「おい、放っておけ」

と、少し年齢のいった一人が促す。「往来だ。通る者もある」

「はあ」

「落ちつけ」

次郎吉は、

「ごめん下さいまし」

と、侍たちの間を割って、少し先まで行くと振り返った。

何でえ、ありゃあ……。

どこの家中か、身なりはきちんとしているが、あの殺気立った空気、ただごとではない。

特に若い侍は今にも刀を抜いて、斬りかかって来かねない。

はて……。この太平の世に、討ち入りでもあるまいが。

次郎吉は懐から印籠《いんろう》を取り出した。

今の侍たちの間を割って通ったとき、一人の腰からかすめ取って来たのである。

大した値打ものでもあるまいが、今の侍たちのただならぬ様子が気になって仕方なかったのだ。

「ま、お侍のすることは町人風情にゃ分らねえ」

次郎吉は吹きつける夜風に、ちょっと身震いすると、首をすぼめて帰りかけた。

――何だ？

風が鳴っているのかと思った。

しかし、そうではない。

風が切れ切れに運んで来る。

女の叫び声。——悲鳴だ。

あの河原だ！

「畜生！」

次郎吉は飛ぶような勢いで、あの橋へ取って返した。

手すりを乗り越え、河原へと飛ぶ。

あの女たちが囲んでいた火が、今は河原に散らばっていた。

「止《とど》めを刺せ！」

あの侍の声だ。

「人殺し……」

「助けて……」

河原のあちこちで呻《うめ》き声が上る。

「——何しやがるんだよ！」

河原は闇に沈んでいた。

あの侍たちは、ここに集まった夜鷹《よたか》たちを殺しに来たのだ。

今どきの侍は人を斬ることなど、まずない。若い侍が血気にはやっていたのは、当然だろう。

しかし——なぜ、この女たちを？

砂利を這《は》う女に、侍の剣が容赦なく突き立てられる。女は針で留められた虫のように、もがいて、やがてぐったりと動かなくなった。

——何てむごい真似をしやがる。

次郎吉も、さすがに怒りに震えた。

ふと思い立って、煙草入れを取り出すと、暗がりの中、手探りで——。

「生き残りはおらぬか」

息を弾ませて、一人が訊《き》く。「この辺りにいるはず。必ず仕留めよとのご命令だ」

「しかし、一人一人の名や顔までは……」

「うむ。まず討ち洩《も》らしてはいないと思うが……」

そのとき、夜空に呼子《よぶこ》の鋭い音が響き渡った。

「——何だ？」

「呼子だぞ」

「見られたか？」

次郎吉は、向きを方々へ変えて、呼子を吹き鳴らした。

「仕事」で逃げるとき、わざと自分で吹いて追手を惑わすのだ。

呼子の音は、どの辺りで鳴っているか分りにくいものだ。侍たちは、まさかこの河原で吹いているのだとは思いもよらず、

「町方が来ては厄介だ。引き上げるぞ」

足音があわただしく河原を立ち去って行く。

暗がりの中、死の静けさが戻って来た。

「──登美さん、無事か？」

一人、離れていたから、見付からなかったかもしれない。

次郎吉は呼んでみたが、返事はなかった。

そのとき、河原へと駆けて来る足音がした。

「どうした！」

遠くで呼ぶ声がする。

「印籠が──。もしや落としたのではと」

「暗くて見付かるまい。急げ！」

「はあ」

諦《あきら》め切れないのか、提灯《ちょうちん》で辺りを照らして捜し回る、若侍の顔が見えた。

「──誰だ！」

次郎吉の気配に気付いて、提灯を上げる。「お前はさっきの町人だな」

「返り血を浴びていますぜ」

と、次郎吉は言った。「哀れな女たちを斬って、それでも侍かい」

「貴様！　生かしてはおけぬ」

と剣を抜いて斬りかかるのを、次郎吉は素早くよけて、同時に侍の腰の小刀を抜き取っていた。

振り向いた侍の喉《のど》へ鋭く突きが入る。

首を貫かれた侍の体は、二、三歩後ずさってドッと倒れた。

本物の呼子が聞こえた。

さっきの呼子に応《こた》えてのことだろう。

いずれここへやって来よう。――次郎吉は、登美の安否を確かめられない心残りはあったものの、ひとまずその場を立ち去ることにした。

「これじゃ成仏できめえな……」

侍の提灯がパッと燃え上って、凄惨《せいさん》な河原の様子が一瞬闇に浮かび上った。

旦　那

風が絶えて、日なたは眠気のさす暖かさ。

釣糸を垂れる老人の背中は、すっかり丸まっている。

「――引いてるぜ」

と、声をかけた者がいる。

「うん？――おお、そうか」

老人は居眠りから覚めて、あわてて上げてみたが、魚の方が何枚も上手だ。

「そうのんびりしてちゃ、一匹も釣れまいよ」

川辺の草地に腰をおろし、次郎吉は言った。

「いいんだ、釣る気もねえ」

と、老人は笑って、「暇潰《つぶ》しさ、どうせ。魚は魚屋から買うよ」

「なるほど」

次郎吉は、のんびりと青空を見上げて、「十筒屋《とづつや》の芳兵衛《よしべえ》さんですね」

と、さりげなく言った。

老人が目をしばたたいて、

「こりゃ何と……。今さら、そんな名で呼ばれようとは思わなんだ」

「もうお忘れになりたいことかもしれませんが、申しわけねえ」

「なあに、今さら何を言っても始まらねえが、どうせこの年齢《とし》で『始まって』も、先は知れてる。――何の用だね」

「少々伺いたいことが」

「目明しとも見えないね」

「その筋のもんじゃござんせん。ただ、ちょいとした腐れ縁で……。旦那《だんな》に、弥彦屋広太《こうだ》夫《ゆう》のことをお聞きしたくて」

「弥彦屋だって？」

老人の顔に、険しいしわが浮かぶ。

「以前は同じお店《たな》の手代同士だったとか」

「わしの方が五つも年上で、可愛がってやったもんさ。今じゃ広太夫たあ、名まで偉そうに」

「二人で店を持ちなすったね」

「ああ。――わしらの仕事ぶりを気に入って下すったそのころの弥彦屋の旦那が、新しく廻船《かいせん》問屋へ手を広げるってことで、わしら二人にその店を任せて下すった。ありがたい話さ。ただもう夢中で働いた……」

老人の顔にそのころの充実した日々を思い出しているような、淡い笑みが浮かんだ。

「――店は五年で三倍にもなり、旦那も喜んで下すった。何もかも上手《うま》く行っていたのに……」

「あんたが店の旦那になんなすったんですね」

「年齢からいってもね。それに、あいつには裏から手を回して、他人の仕事まで横盗《よこど》りしようってところがあった。よく喧嘩《けんか》したもんさ」

「それでも、どうにか店は続いて……」

「ああ。順調そのものだったよ。わしは女房をもらい、男の子が生れた。——だが忘れもしない、倅《せがれ》の十歳の誕生日だ。突然、店にお奉行のお手入れがあり、抜け荷の罪に問われた」

「身に覚えのねえことで？」

「むろんだ。しかし、あんたね、役人なんてものは……。目明し、岡っ引きなど、ゆすりたかりも同然。罪を認めりゃ、遠島で許してやる。あくまで知らぬと言い張れば獄門だと……。女房子供も同罪と言われ——」

「やりもしねえ抜け荷の罪を認めなすったんですね」

老人は肯《うなず》いて、

「三年の島送りで、生きて帰れただけでもめっけもんだ。すっかり体は古ぼけて、髪も真白さ」

「ご苦労なさいましたね」

「戻ってみりゃ、女房は病で死に、倅は丁稚《でっち》奉公。遠島になるとき、『留守の間、かみさんと坊やは面倒をみる』と約束してくれたのは——今の弥彦屋広太夫だよ」

穏やかな口調に、悔しさがにじんだ。

「芳兵衛さん」

と、次郎吉は言った。「あんたの悔しさはお察ししますぜ」

「ありがとうよ。——今さら吠《ほ》えたって、奴の身には届かねえ。あんな広いお屋敷を構えてるんじゃな」

と、老いた元商人は言った。

「——ときに、芳兵衛の旦那、息子さんはその後どうなすったね」

「母親もなく、父は島帰りじゃ、頼っていくのも迷惑ばかりだ。一切係《かかわ》りは持たねえことにしてる」

「分りますぜ。息子さん、名はなんとおっしゃいますんで？」

「清介《せいすけ》といった。もう二十歳になる。どこぞのお店で可愛がってもらっていりゃいいが……」

芳兵衛は次郎吉をまじまじと見て、「あんた、清介の知り合いかね」

「いえ、あいにくと」

「そうか。もし清介に会うようなことがあったら、元気にしてるかどうかだけでも、わしに教えちゃくれないかね」

次郎吉は肯いて、

「そうしやしょう。ですが、旦那もまだそう老い込んじゃいねえ。世捨て人になるのは、ちっとばかし早うございますぜ」

「なに、今さら欲も得もねえよ」

芳兵衛は釣糸を再び川面《かわも》へ投げて、「川の魚を養うくらいが、わしの甲斐性《かいしょう》さ」

と笑った。

そして、ややあって、

「ときに、あんたの名は？」

と、顔を向けると、「こいつは……」

と、目を丸くした。

そこには誰の姿もなかった。

「幻でも見たのかな……」

と、芳兵衛は首をひねった。


次郎吉は橋の下を覗《のぞ》いた。

あの小舟は、前のまま河原に傾いて捨てられていたが、中には誰もいなかった。

「やはり戻ってねえのか……」

と、次郎吉は呟《つぶや》いた。

無理もない。あの夜、六人の夜鷹《よたか》がこの河原で斬殺《ざんさつ》された。それも一太刀ではない。どの死体も、三度も四度も斬られ、さらに止《とど》めを刺されていた。

そんな、血の跡もまだ乾かない場所へ、登美が戻って来るはずもなかった。

殺された六人の中に登美がいなかったことは、役人の話で聞いている。登美はあのとき、火を囲んでいなかったので、命拾いをしたのだ。

おそらく、あの夜、侍たちが斬るはずだったのは、登美ではなかったか。そして肝心の登美だけが、刃《やいば》を逃れて消えたのだ……。

しかし――いずれ食いつめて、どこかで客を取るだろう。そうすれば夜鷹仲間の中には知れることになる。

そうなると、また命を狙われるはめになるかもしれないが……。

次郎吉は諦《あきら》めて河原から上ると、橋を渡って帰りかけた。

日も暮れかけている。

一人の侍が向うからやって来た。顔は影になって見えないが、その物腰は次郎吉の記憶に新しかった。

橋の上で、次郎吉はその侍とすれ違ったが――。鯉口を切る音がして、次の瞬間、侍の剣が水平に空を斬った。

次郎吉の体は、弾みもつけずに宙を舞った。

「――お戯れはいけませんぜ、旦那」

次郎吉は侍から数間離れて立つと、言った。

「やはり、あのときの男だな」

その声には聞き憶《おぼ》えがあった。河原での夜鷹殺しの指揮をしていた侍だ。

「何のことやら……」

「とぼけることはない」

と、刀を納め、「拙者の手の者を仕留めたのは、貴様だろう」

どうやら斬る気ではなさそうだ。

「話がある。――ここですれ違ったときから、ただ者ではないと思っていた」

相当な手だれと見える。次郎吉は用心して間を置いたまま、

「伺いやしょう」

と言った。

「妙な話と思えるだろうな。我々武士が、なにゆえにあの女たちを斬らねばならなかったか。――あれも藩命、刀の汚れと思わぬでもなかったが」

「人の血に変りはありませんぜ。あの若いお侍は、斬りかかって来なすったんでお相手しただけのこと」

「わが藩では屈指の使い手だった。まあいい。斬りかかって斬られたのなら、恨む筋合もない」

「お話とはそのことで?」

「いや、そうではない。一人がああして見付かってしまったので、藩の名も知れてしまった。秘密裡《り》に処置せよとのご命令であったが、それにしくじってしまった」

「そいつはお気の毒さまで」

「いずれ知れよう。われらは藤堂《とうどう》藩の者」

「どちらのご家中でも、こちらとは――」

「係りないか。だが、金になる話だと言えば？」

「あっしの聞き違いでしょうかね」

「お前が、身のこなしといい、身軽さといい、今名高い〈鼠〉だとしても驚かぬ。いや、別人でも構わん。口止め料を払ってやる」

「何のお話で？」

「明日の夜、江戸下屋敷の裏手のくぐり戸を開けておく。土蔵は入って右手だ。その鍵《かぎ》も外しておく」

「妙なことを」

「聞け。土蔵の中に、千両箱一つ。それを盗んで行け」

さすがに次郎吉も呆《あっ》気《け》に取られた。

「旦那《だんな》、おからかいになっちゃいけません」

「入る入らぬはお前の自由。好きにせよ」

侍は、それだけ言うと、クルリと背を向けて、足早に姿を消した。

「見え透いた罠《わな》だ」

次郎吉はそう言って、しかし向うが何の計があって、そんな釣糸を垂らして来たのか、気はひかれた。

しかし——のこのこ出かけて行って網にかかっちゃ、物笑いの種だ。

「剣呑《けんのん》だね」

次郎吉は暮れかかった道を小走りに急いだ……。

仕掛け

「なあ、喜平次」

次郎吉は、持って来てやったいなり寿司《ずし》を夢中で食べている喜平次へ、「お前、弥彦屋に出入りしていたそうだな」

喜平次は指をなめながら、

「まあな……。小間物の行商で、細々とやってた。あの店へは、月に二度、顔を出してたよ」

「それで疑われたのか。何か店といざこざでもあったのかい」

「いや、何もねぇよ。──いつもすまねぇな、次郎吉」

古寺の床下に隠れて、次郎吉が食べものを運ぶ。──喜平次は、だいぶこざっぱりしていた。

「なあ、次郎吉。お前の親切はありがてえが、そろそろ潮どきだろう。昨日も、小さなガキが遊んでいてこの床下を覗いてった。帰って親にでも話したら、自身番へ駆け込まれるかもしれねえ」

「場所を変えるか」

「いや、むだだよ」

「じゃ、いっそ江戸を出ろ。仕度はしてやる」

次郎吉の言葉に、喜平次はしばらく何か考えていたが、

「──そうだな。そうするか」

「任せろ」

と、次郎吉は軽く胸を叩《たた》いた。

「──弥彦屋の内儀《かみ》さんを見たことあるかい？」

「ああ、あの若い後添えか」

「見たか」

「うん、この前もちょっとな。それがどうかしたか」

「笑うなよ。俺はあの女に惚《ほ》れてたんだ」

「何だと？」

「俺はな、あの女に惚れてたんだ」

と、喜平次はくり返した。

次郎吉は、遠くを眺めているような幼なじみの目を、じっと見つめた。

「初めて商いに行った日、あの女は、外出から帰って来た。——ぷんと白粉《おしろい》が匂ってな。俺のことなんぞ、目もくれねえで奥へ入ってったが……。俺はあのとき、一目であの女に惚れたのさ」

喜平次は照れたように笑って、「俺らしくもねえ話だろ？　笑ってくれ」

「誰だって、惚れることはあるだろうぜ」

「そうだな。しかし——あれは見かけとは大違いのとんでもねえ女だぜ」

「お種《たね》といったか？」

「そうだ。弥彦屋はあの女の言うなりさ」

「喜平次。お前——お種って女のことを、それだけ分ってるのは、ただ眺めてただけじゃねえってことだな」

次郎吉の言葉に、喜平次は寂しげに笑みを浮かべて、

「情ねえ話だが、鼻先にニンジンをぶら下げられた馬と同じでな。あの女の気を持たせる

素振りや流し目で、俺は木偶《でく》のように操られた。——その実、指一本触れちゃいねえのにな」

喜平次は、女たちに騒がれるような器量ではない。自分でも、それはよく分っているはずだ。

だからこそ、お種が少しでも気のある素振りを見せると、それにすがらずにいられなかったのだろう。

「喜平次。お前、お種に言われて、何をしたんだ？」

次郎吉の問いに、喜平次は答えようとしなかった。

「今度来るとき、もし江戸を出る仕度をしてくれるのだったら、巡礼の恰好《かっこう》がいいな」

と、喜平次は穏やかに微笑んで言った。

「藤堂藩のお侍なら、あの道場へ来ているわよ」

湯上りに髪をとかしながら、小袖が言った。

「そうか。お前からその名を聞いたことがあったような気がしてた」

と、次郎吉は寝そべって言った。

「何でも、今は大変だそうよ」

「何かあったのか」

「道場へ来てるのは、若党くらいだから詳しいことは知らないようだけど、なんだか下手をすればお取り潰《つぶ》しになるとか。――お上ににらまれるようなことをしたんでしょうね」

「そいつは難儀な話だな」

「ねえ。お取り潰しになれば、何も知らない中間《ちゅうげん》、小者に至るまで浪々の身ですものね」

「それにしちゃ千両出すとは気前のいい話だな」

「千両って何?」

「いや、何でもねえよ」

「もう……。私にまで隠しごと?」

「何も話してねえのに、隠しようもあるまいぜ」

「怪しいわね。――命は大切にしてよ。兄さんのお弔いを出したくないわ」

と、小袖は言った。

「なあに、お前の嫁入り姿を見るまでは、死なねえよ」

「じゃあ、兄さんは天狗《てんぐ》並みに長生きしなきゃ」

と、小袖は笑った。

「お前、もういい年齢《とし》ごろだぜ。何かねえのか、艶《つや》っぽい話でも」

「私のお相手は、まず小太刀で私を負かしてくれないとね」

次郎吉はため息をついて、

「色気のねえ見合だな」

と呟《つぶや》いた。

くぐり戸は確かに開いていた。

──どうも、忍び込んだ気がしねえな。

庭へ入ると、次郎吉はしばらく気配をうかがった。

どんなに息を殺していようと、人間はそう長く寸分も身動きせずにいられるものではない。

藤堂藩下屋敷に、捕方が潜んでいる気配はなかった。

右手に土蔵。足音を忍ばせて近付くと、重そうな鉄製の錠前が外れている。

ここまで来たのだ。──次郎吉は素直に土蔵の戸を開けた。

すぐ目の前に千両箱。持ち上げてみると、千両はともかく、七、八百両は入っていそうだ。

次郎吉は土蔵の中の空気にも、人の匂いはかぎつけなかった。

よし、こうなれば早々にいただいて、引き上げるか。

千両箱を抱え上げたとき──床に入った切れ込みを見付けた。おおかた、床下に何かしまい込んであるのだ。

た。

千両箱を一旦《いったん》下ろして、その切れ込みを引張り上げてみた。——梯子《はしご》が下へ下りている。

次郎吉は土蔵の壁に取り付けてあるろうそくに火をつけ、それを手に床下へ下りて行った。

狭い部屋だが、棚がたくさんできていて握り拳《こぶし》ほどの布袋がいくつも並んでいる。

その一つを取って袋の口を開けると——。

「何とまあ……」

と、思わず呟いていた。

色とりどりの石が、ろうそくの火の下でまばゆく輝いた。

こいつはご禁制の品だ。——とはいえ、諸大名や、裕福な商人は、女への贈りものに、この類《たぐい》のものを高値で買うというから、これだけの量があれば、まず一財産——いや、並みの財産なら、何百人分にもなろう。

次郎吉は少し迷った。そして、ふと土蔵の外の気配に変化が起っているのを察していた。

「賊でございます！　土蔵が破られております！」

若侍が大声を上げると、屋敷内の方々で起き出してくる物音がして、雨戸が開けられ、次々に刀を手にした侍たちが庭へ下りて来る。

「賊はどこだ！」

「くぐり戸が開いております！」

「盗まれたのは？」

「――静まれ」

と、声がした。「取り乱すな」

「森脇《もりわき》殿！　大変です。土蔵が――」

「騒ぐな！　外へ知れたらどうする」

と、あの侍がたしなめる。「むざむざ土蔵を破られましたと世間にふれて歩くのか」

「はあ……」

「中を確かめよ」

明りが灯《とも》され、女たちも起き出して来る。

「森脇殿！」

土蔵の中で一人が声を上げた。「見て下さい、これを」

土蔵の棚に、長い紙が下っていた。

〈鼠参上〉という文字はまだ濡《ぬ》れていた。

「さてはあの〈鼠〉か」

森脇が首を振って、「さすがだ。鮮やかな手腕」

「どうしましょう？」

「このまま手を付けるなら、隠しても、いずれ大目付の耳に入る。それならいっそこちらから届け出るのが利口というもの」

「ですが――」

「なに、〈鼠〉に入られたのは、うちが初めてでなし、恥じるにも及ぶまい。この証拠、このまま残しておこう」

森脇は、他の者に屋敷内へ戻るように言って、土蔵の錠前をしっかりとかけた。

――庭に、再び闇と静けさが戻ると、池の水が波打って、次郎吉が頭を出した。

細い管をくわえて、その先を水面から出して息をしていたとはいえ、苦しいことには変りない。

池から出ると、次郎吉はくぐり戸を中から今度は自分の手で開け、出て行った。

「畜生、これが本当の〈濡れ鼠〉だぜ」

次郎吉はそう呟くと、大きく一つクシャミをした。

手向け

「なるほど」

〈鼠参上〉の文字を眺めて、「小面憎い奴」

と、目付の顔に皮肉な笑みが浮かんで、

「森脇。そなたほどの者が、してやられるとはな」

「面目ございません」

「して、盗まれたのは？」

「千両箱を一箱。あの重さでございます。賊ながら、見上げたもので」

「そうだな。——その〈鼠参上〉の書、もらって行こう」

「恐れ入りましてございます」

棚から長く下ったその紙を引くと——のせてあった重い布袋が床へバサッと落ちた。その拍子に口が開き、中から数十個の石が転がり出る。

森脇の顔から血の気がひく。

「森脇、これは何だ！」

目付の叱声《しっせい》が飛んだ。

「恐れながら……」

と言いかけて、森脇はその場に腰を落とした。


「登美さん」

朽ちかけた小舟に腰をかけた女が振り向いた。

「次郎吉さんだね」

「良かった！　戻ってなすったんだね」

「あんたに会えるかと思ってね」

登美はいっそうやつれ、髪は真白になっていた。

「命拾いしなすったね」

次郎吉は砂利を踏んで、「あの侍たちの目当ては、あんただったんじゃ？」

「たぶんね。——みんな、巻き添えを食って、あんな目に……」

「あれは藤堂藩の侍たちだよ」

「やっぱりね」

と、登美は肯《うなず》いた。

「教えてくれねえか。あんたは何の係《かかわ》りがあったんだい？」

夕暮どき、風は冷たかった。

「私は、弥彦屋の妾《めかけ》だったのさ」

と、登美は言った。「お内儀《かみ》さんは病弱だったけど、いい人だった。私は代って、弥彦屋の裏の仕事を手伝っていたのさ」

「抜け荷か」

「そうだよ。出入りの藤堂家のお侍方としめし合せ、ご禁制の品々を運び入れては、売り捌《さば》いていた」

「すると藤堂家でも――」

「むろん、万事承知さ。お大名に売りつけるには、手づるがいるからね」

「なるほど」

次郎吉は肯いたが、「待ってくれ。するってえと、千代さんというのはもしかして弥彦屋の？」

「ああ。娘だよ。もっとも、弥彦屋はほとんど会ったこともなかったからね。知らなかったんじゃないかい」

「しかし、偶然弥彦屋で働いていたとは思えねえが」

「ああ。そりゃあ、千代の方は知っていたからね、私をこんな女にしてしまった弥彦屋を恨んでいただろう」

「なぜ、あんたが追い出されたんだね」

「抜け荷の仕事がいやになってね。それに、弥彦屋は十筒屋の芳兵衛さんを陥れていた。私は、娘のためにも、もう足を洗わせてくれと頼んだんだよ」

「それであんたの口を封じようとしたんだね」

「私が若い手代と通じているという話をでっち上げて、挙句にひと言でも洩《も》らせば千代を殺すと脅されてね。――あの子のために、一人で泥をかぶったんだよ」

「それをまた今になって……」

「大方、お上に知れたんだろうね。私を生かしといちゃ、万一しゃべられたら、って……」

「この辺の夜鷹《よたか》を皆殺しにしようとしたんだな。ひでえ連中だ」

次郎吉は吐き捨てるように言った。

「天罰ってもんはないのかね、この世にゃ」

「いや、今ごろ藤堂藩はお取り潰《つぶ》しかどうかで、上を下への大騒ぎになっているよ」

登美は次郎吉を見て、

「あんたが？――ありがたい。礼を言うよ」

「なに、それほどの――」

砂利を踏む足音に振り返る。

「いたな」

「これは旦那《だんな》」

「たばかりおったな！」

森脇は刀の柄《つか》に手をかけた。

次郎吉は登美へ、

「行きなせえ」

と言った。「戻っちゃならねえよ」

次郎吉は裾《すそ》をつまんで、

「旦那、お上に目をつけられているからといって、土蔵の中のご禁制品を、あっしに運び出させようたあ、虫が良すぎますぜ」

「そのために千両を払った」

「その千両なら、お屋敷の庭の池の中に沈んでいますぜ」

「何と？」

森脇は、ちょっと笑って、「しょせん盗《ぬす》っ人《と》と甘く見たのが間違いであったな。――お前の目論見《もくろみ》通り、あれは見付かった。藩が救われるには、拙者が腹を切るしかない」

「それはおあいにくさま。ここで斬られた夜鷹たちが、旦那を呼んでるんでござんしょう」

「それなら、おまえも付合え」

森脇が刀を抜いた。「行くぞ！」

一歩踏み込んだ森脇めがけて、小太刀が飛んだ。飛びすさった森脇の剣が小太刀を払い落とす。

踏み止まろうとして、砂利で足を取られた。

次郎吉の方へ向き直る間がなかった。匕首《あいくち》が森脇の胸を貫いていた。

森脇の体は仰向けに川へ倒れ、水しぶきを上げた。

――川の水が赤く染まる。

「兄さん」

橋の上から、小袖が声をかけた。「私の小太刀、持って来てね」

「喜平次。――おい、喜平次」

次郎吉は呼びかけたが、返事がない。

「おかしいな……」

と、辺りを見回していると、喜平次がやって来た。

「何だ、姿が見えねえから心配したぜ。注文通り、巡礼の装束だ」

と、包みを手に、「――どうしたんだ？」

喜平次の着物に血が飛んでいる。

「次郎吉、すまねえな。それは持って帰ってくれ」

「その血は？」

「今、あの弥彦屋のお種を殺して来た」

「何だって？」

「あの二人――清吉って手代と千代って娘を殺したのは、俺なんだ」

次郎吉は絶句した。

「押込みということにして。――しかし、はじめからあの二人を殺すのが、俺の役目だった。お種に言われて、わけも分らずにやっちまった」

「喜平次……」

「親切は忘れねえよ。これから自身番へ名のって出る。もう会うことはねえだろうが……。昔に戻ったようで、楽しかったぜ」

喜平次は、ちょっと人なつっこい笑顔を見せると、「達者でな」

と、ひと言、小走りに姿を消した。

次郎吉はポツリと、

「線香は上げてやるぜ」

と呟《つぶや》くと、重い足どりで、古寺を後にした。

もう二度とここへ来ることはあるまい、と思った。

きりりと帯をしめ、白髪を結い上げた上品な女が、花を手に墓地を歩いて来た。

墓に向って手を合せている老人に、

「もし……」

と、声をかける。「このお墓は……」

「倅《せがれ》の墓でございます」

と、振り向く。

「まあ。――芳兵衛さん！」

「これは驚いた。あんた、登美さんだね」

「ええ。それじゃ、清介さんが？」

「清吉と名のって、弥彦屋で働いていたそうな。抜け荷の証拠をつかもうと」

「じゃ、千代と一緒に……」

「あの娘さんが、あんたの？　では、弥彦屋は自分の娘を殺させたのか」

「お種って女が悪かったんですよ。――じゃ、清介さんの墓にもお線香を上げさせていただけますか」

「むろんだとも。わしも、千代さんの墓に参らせてもらおう」

――二人はそれぞれ二つの墓に参ると、

「お互い、子供を先に亡くすとは、寂しいね」

「ええ……」

「弥彦屋は、抜け荷の罪《かど》で捕えられ、継ぐ者がない。わしに、後をみてくれないかと言ってきたよ」

「まあ」

「大して長い命じゃないと思うが、やってみようと思っている。清介の気持をむだにしないためにも」

「ぜひおやりなさい。芳兵衛さんならやれますよ」

「登美さん。どうだね。店の切り盛りは、わし一人じゃとても無理だ。あんたに家の中のことを頼めないだろうか」

登美は足を止めて、

「それはできません」

と、顔を伏せた。

「どうしてだね」

「私は――とことん、落ちる所まで落ちた人間なんです。今さら人並みの暮しは……」

「何を言うんだね。誰しも苦しいときは、わらにもすがるものだ。ぜひ力を貸しておくれ」

登美は顔を上げた。

次郎吉がやって来る。――登美の今日のなりも、次郎吉と小袖が調えてくれたのだ。

次郎吉は、二人とすれ違いざま、

「どうも、お内儀《かみ》さん」

と、ていねいに会釈して行った。

「――知り合いかね」

芳兵衛が首をかしげて、「今の人、どこかで会ったような……。

「ええ、まあ……。何だかふしぎな人で」

と、登美は言った。「私にできるでしょうか」

「むろんだとも！　早速店へ行こう」

我知らず、二人の足どりは十歳も若返っていた。

鼠、化ける

鬼火

「二人が首をくくった場所でさあ」

と、足を止めて、提灯《ちょうちん》の明りが風で心細く揺れる。

「ふーん。寂しい所だね、さすがに」

「そりゃあそうですよ。人通りの多い所じゃ普通、首はくくりませんからね」

「違いない」

と、いささか怯《おび》えてはいても、まだ笑う余裕があった。「しかし何だね、世をはかなんで、か何か知らないが、今年は凶作で、ずいぶん飢えて死ぬ子も多いと聞くじゃないか。色恋の果てに心中じゃ、少々ぜいたくな、と言いたくなるね」

「旦那《だんな》、仏の悪口を言っちゃいけません。たたられたらどうなさいます」

と、声をひそめる。

「おっと、こいつはうかつなことだった。——剣呑《けんのん》、剣呑」

と、首をすぼめたのは、寒さのせいばかりではない。

「じゃあ、参りやしょう」

提灯を手に、「足もと、お気を付けになって下さいまし。踏み外しますと、土手を川まで転がり落ちることに……」

「そう言うのなら、ちゃんと足下を照らしてくれなくっちゃ。——そうそう。月でも出ていれば良かったね」

——川面《かわも》を撫《な》でて来る風が、ひんやりと冷たく頬に触れ、月も星もない闇夜らしく、ただ水の流れが囁《ささや》くばかり。

すっかり酔いもさめて、作兵衛《さくべえ》はこんな所へやって来たのを、少々後悔していた。

酒の席で、幇間《ほうかん》の市介《いちすけ》が、芸者衆を怖がらそうと、つい数日前にあった心中の話を、あることないこと織り交ぜて面白おかしく聞かせた。

酔っていた作兵衛は、

「よし、じゃこれからみんなでその土手へ行こう」

と言い出したのである。

女たちは、怖《お》じ気《け》づいて誰も行くとは言わない。少々意地になった作兵衛は、

「俺一人でも行く」

と、大見得を切ってしまったのである。

しかし、帰り道、ずっと遠回りをして来てみたものの、真暗で何も見えないし、夜風は

冷たいし、ろくなことはない。

提灯を手にしている市介だって、好きでこんな所へ客を案内して来たわけではあるまいが、作兵衛は、

「市介も市介だ。『暗いですし、お寒うございますから、旦那、やめておかれた方が』とでも言ってくれりゃいいじゃないか……」

と、これは口には出さぬが、心の中での愚痴しきり。

ともかく、こんな所からは早く逃げ出すに限ると、前を行く市介をせかせるように足どりを速めたが、

「――旦那」

ピタリと足が止った。

今のは女の声。いや、空耳ではない。

「おい市介、待ちな。そう先へ行かないで」

「へえ。どうなすったんで」

と、提灯が戻って来る。

「今、女の声がした」

「女ですか？」

「うん。確かに『旦那』と……」

「この辺は夜鷹《よたか》も寄りつかねえ所ですぜ。気のせいじゃ――」

「もし、旦那」

いきなり耳もとで囁かれ、作兵衛は仰天して飛び上った。

提灯の心細い明りにぼんやりと浮かび上ったのは、一見して夜鷹の類《たぐい》ではない、上品な面立ちの女。

「驚かれましたか。申しわけございません」

「いや……。こんな所で声をかけられりゃ、誰だってびっくりするさ。あんたはこんな所で何をしてるんだね」

と、作兵衛が怖さを忘れて女に見入ったのも、色白で誠に美しい女だったから。

「お見かけしたところ、さぞ名のある大店《おおだな》の旦那と存じまして……。お願いの筋がございます」

「私に？――まあ、見ればご身分のありそうな様子。何か私でお役に立てるなら、聞かないでもないがね」

「ありがとうございます」

女は深々と頭を下げた。

市介はしきりに作兵衛の羽織の袂《たもと》を引いて、「馬鹿な真似はおよしなさい」と、目で意見するのだが、相手が見てくれないのでは仕方ない。

「しかし、こんな空っ風の吹きつける土手で話を聞くのも何だね」

「よろしければ、拙宅で御酒など差し上げとう存じますが」

「ありがたい。大分飲んだが、もうすっかりさめてしまってね。少し体を暖めようか。あんたの家は近いのかね」

「はい、この先、一町ほどの所でございます」

「じゃ、案内しておくれ」

作兵衛は、もう市介のことなど眼中にない。

「旦那！　待って下さいましな」

と、あわてて追いかけると、

「何だ、お前、まだいたのか」

「そいつはありませんや。ね、旦那、悪いことは言いません よ。今日は真直ぐお帰りになって下さいまし」

「放っといてくれ。私は鼻をたらした子供じゃあない。自分のことは自分で面倒をみるよ」

「ですが旦那――」

「ああ、その提灯。こっちへよこしな。お前は慣れてるから帰れるだろう」

「殺生な。――ね、旦那、ちょっと……」

提灯を取られて、市介は暗い夜闇の中に取り残された。

作兵衛が女の後をいそいそとついて行く姿はじき闇に紛れ、ただ小さくなって行く提灯の明りだけが、しばらくは見えていたのだが……。

「と、まあここまで聞くと、大方の奴は話のオチは見えた、と笑いやがる。大方、翌朝目覚めた作兵衛旦那は、お屋敷の一間で女としっぽり濡《ぬ》れていたはずが、野っ原の真中で身ぐるみはがされて寝ていたってわけで、こいつは狐に化かされたか、狸のしわざかと恥と風邪の二重取り、とんだ商いもあったもんだという教訓話になるか——」

「でなきゃ、その女は幽霊で、作兵衛どんは哀れ、とり殺されたってとこか」

市介の話に耳を傾けていた藪《やぶ》そばの客たちから声があがった。

「待て待て。誰かがとり殺されりゃ、もっと騒ぎになっていようさ」

「道理だな。来月の寄席で正蔵《しょうぞう》が早速怪談噺《ばなし》に仕立てるだろうぜ」

と、口々に言い立てる。

「待った待った！　そう勝手に決めつけられても困っちまうよ」

市介は扇でポンと額を打つ。「作兵衛旦那は、ピンピンしてなさる。もっとも、朝帰りの旦那に、お内儀《かみ》さんは角を生やしてたってことだがね」

「——それで、作兵衛さんは何も盗《と》られなかったのかい」

〈甘酒屋〉と呼ばれる男がそばをすすった。

「それが、作兵衛旦那《だんな》も、並の苦労で今の身代をこしらえなすったわけじゃない。女に執着なすっても溺《おぼ》れる方じゃねえんだ。朝、ていねいにその女の屋敷を送り出された後、しっかり財布の中身を改めなすったが、一文の損もなかったって話だ」

「すると何かい？　その旦那は、一晩只《ただ》でそんないい女をものにしなすったってわけか」

「その通り！　たとえ狐のしわざとしたって、人間様にゃ何の損もない。こんなうめえ話は、滅多になかろうぜ」

市介が、まるで自分がいい目に遭ったように得意がるのを、〈甘酒屋〉は含み笑いして眺めていた。

「で、その女の素性は知れたのかい？」

と、客の一人が訊《き》く。

「それが妙な話でね、あれほどいい思いをなすった作兵衛旦那、女のことが忘れられず、といって内儀さんの目は怖い、というわけで、中三日空けて、女の屋敷からの帰り道をしっかり頭に叩《たた》き込んでおいたのを頼りに、その屋敷を捜した。ところが――」

「いくら捜しても見付からねえ、か」

「〈甘酒屋〉さんの言う通り。――あの闇夜ならともかく、夜が明けて明るくなってからお店へ帰ったのだから、そう見当違いの場所を捜したわけでもあるめえに、とうとう屋敷は見付からずじまい」

「そいつは気の毒だったね」

と、〈甘酒屋〉は銭を置いて、「お代は置くよ」

「毎度ありがとう存じます」

少し腰は曲っているものの、至って達者な店の親父が、「しかし、何だね、作兵衛さんってのは、あの染物屋のご主人だろ？ 分別のある、いいお人だが、あの人にそこまでさせるとは、よほどのことだね」

店を出ようと引戸を開けた〈甘酒屋〉が振り返り、

「百の教訓より確かなことさ。水がなけりゃ、喉《のど》はますます渇くものだ」

と言うと、素早く姿を消し、

「そいつはどういう意味だい？」

と訊く声は、誰もいない辺りへと間抜けた間合で飛んで行ったのだった。

邪魔者

「本当に、私はもうここから一人でも……」

と、女が言うと、

「いやいや、夜道は物騒。男の私がいながら、あなたを一人で帰すわけにはゆきません」

正直、笑いをこらえる小袖《こそで》だったが、そこは気立てのいい娘――と、当人が言うのだから間違いない――のこと、相手は若いとはいえお侍だ。せっかく、

「道場一の美女――これも当人が認めている――を守るのはこの自分の役目！」

と張り切っているのを、にべもなく断るのは気の毒と、

「ではお言葉に甘えて……」

夜道を二人して道連れになったのだったが……。

今夜は確かにいつもより遅くなった。

小袖の通う道場で、長く浪人の身だった門弟の一人が、めでたく仕官することとなり、その祝宴が開かれたのである。

「しかし、驚きましたね」

と、小袖と並んで歩いているのは、まだやっと二十歳の若侍、米原広之進《よねはらひろのしん》。「小袖さんは剣も強いが酒も強い。あれだけ飲んで、顔色一つ変えないのだから」

「そんなことばかり感心しないで下さいな」

と、小袖はちょっとにらんで、「私の方がちっとばかり飲む機会が多いってだけじゃありませんか」

「いや、失礼を申したのなら謝ります。私はただ素直に感心しただけですが」

「他のことに感心して下さると嬉《うれ》しうございますけど」

「どうも……。私は口下手で」

照れて、顔が上気している。

ちょっと可愛い坊やだわ、などと小袖は考えているのだった。

「米原様はどうして道場へ？」

と、小袖は訊いた。

「いや、今は武士といっても剣の道より芸を身につけた方が立身出世にも役に立つと、私と同輩の者でも、謡曲だの常磐津《ときわず》だのの稽古《けいこ》に熱心な始末。父が嘆きまして、藩の指南役では腕が上らぬ、と町道場へ……」

「まあ、そんなことが」

「長く戦さのない太平の世。武士にとっては辛《つら》くもあります」

「でも戦さなどない方がいいのじゃございませんか。一旦《いったん》起れば、田畑は焼かれ、罪のない町人百姓までが殺されます」

「それはまあ……。正直言って、戦さをしたいとは思いません。しかし――」

小袖が足を止め、米原広之進の腕に手を触れた。

「何か――」

「しっ。気配が……」

二人は、立派な構えの大店《おおだな》の裏手を通りかかっていた。

黒塀は忍び返しのついた、高さのあるもので、夜の暗がりの中では、目が慣れないとくぐり戸のあるのに気付かないほどだった。

「――戸が開いてます」

と、小袖が言った。

「え？」

そっと近付くと、確かに低いくぐり戸が細く一寸ほど開いている。

小袖がハッと身を固くした。

ガラッと戸が開いて、白刃が突き出されて来るのを小袖は素早く退《さ》がってよけた。

「これは――」

と、広之進が仰天していると、頭巾《ずきん》をかぶった浪人者らしい風采《ふうさい》の男が飛び出して来る。

「広之進様、お気を付けて！」

と、小袖が言った。

斬りかかって来る刃《やいば》を、小袖が小刀で受け止める。夜闇に白く火花が散った。

広之進もやっと刀を抜くと、

「何者だ！」

と、構える。

浪人はさらに一太刀浴びせて来たが、小袖は落ちついてかわし、逆にその懐へ小刀の切っ先を滑り込ませた。

相手も腕の立つ男と見え、素早くかわして、

「邪魔しおったな！」

頭巾の下から、くぐもった声がして、浪人は、二人に背を向けて夜の道を駆けて行った。

広之進は、まだ刀を構えたまま、

「ああ……。びっくりした」

と、立ちすくんで動けない。

「広之進様、おけがは？」

「いや、私は何とも……」

「結構でした。お返し申します」

と、小刀を渡されて、初めて広之進は小袖が一瞬の内に自分の腰から小刀を抜いていたことに気付く始末。

「何ということ……。情ない」

と、肩を落とすのを、

「こういうことは、実地の斬り合いに慣れている方が強いのですよ」

と、小袖は慰めた。「それより、この中の様子が気になります」

「おお、それはそうだ」

広之進は一旦納めた刀をまたあわてて抜いて、「まだ中に誰かいるかもしれませぬ」

「その気配はございません。刀はお納め下さい。却《かえ》って、店の者を怯《おび》えさせましょう」

小袖にたしなめられ、ますます若侍は落ち込んでしまうのだった。

くぐり戸を入ると、庭に提灯《ちょうちん》が一つ燃えている。

雨戸が三、四枚外されて庭へ倒れ、中の障子が見えた。

「盗賊だな」

と、広之進は武者震い。

「そのようでございます」

小袖は中を覗《のぞ》いて、「どなたかおいでですか？　お店の方は？」

と、声をかけた。

店の中は物音一つしない。

「何だかいやな心持ちがします」

と、小袖は言った。

「役人を呼びますか」

「もちろん、そうせねばなりませんが、もしただならぬことになっていたら……」

小袖が思い切って廊下へ上ると、ぼんやりと明りの映える障子の方へと急いだ。

ガラッと障子を開けて、小袖は息をのんだ。

「――どうしました？」

広之進が遅れて上って来ると、中を覗いて、

「わっ！」

と、ひと声、その場に尻《しり》もちをついてしまった。

お内儀《かみ》、番頭から手代、丁稚《でっち》に至るまで、十数人。後ろ手に縛られたまま無惨に斬り殺されている。おびただしい血のりの中で悶《もだ》え苦しんだ跡が、行燈《あんどん》の明りに凄《すさ》まじい。

「何てむごい……」

金を奪うだけなら、なぜこうも人命をも奪う必要があろう。

「広之進様、自身番へ走っていただけますか」

と、小袖が言うと、

「わ、分りました……」

ガタガタと震える膝《ひざ》を押えて何とか立ち上り、「すぐに――すぐに戻りますゆえ」

バタバタと駆けだして、庭へ転がるように下りると、くぐり戸から飛び出して行く。

小袖は、その場に手をつけまいと、店の奥をうかがっていたが、そのとき――。

「いたい……」

かすかな呻《うめ》き声。

驚いた小袖は、

「誰？　どこにいるの？」

と呼びかけた。

「助けて……」

かぼそい声は、まだ年のゆかぬ女子のものらしかった。

折り重なって倒れている手代の下敷になっている、と見定めて、小袖は行燈の明りを近付けると、血にまみれた死体を押しやった。

「助けて！　命ばかりは――」

白い手首を縛られた寝衣姿の十二、三の娘が、人の血で朱《あけ》に染まって震える声で訴えた。

「もう大丈夫。――安心おし。もう賊はいないよ」

小袖が手首の縛りを解いてやると、娘は、助かったことがまだ信じられないのか、放心したように座り込んでいる。

大方あのさっきの浪人が殺したのだろうが、薄暗い中で一度に大勢斬ったので、大人の下敷になったこの娘を見逃してしまったのだ。

「すぐお役人が来るからね」

と、小袖はともかく娘をその部屋から連れ出した。

「お前、名は？」

「――とみ」

「とみさんね。ひどい目に遭ったね」

小袖は、娘の血に染った寝衣の裾《すそ》を直してやると、「そこで斬られてなさるのは、このお店の方たちでしょ？」

娘が黙って肯《うなず》く。

「ここのご主人が見えないようだったけど、あの中においでかい？」

訊《き》かれて娘は、ぼんやりした目を庭の方へ向けると、

「お庭に……」

と、宙を指さした。

庭へ逃れたのか、そこで追いつかれて斬られたか。

誰か倒れていたなら気が付きそうなもの、と思いつつ、小袖は庭へ下りてみた。

かなりの大金を注ぎ込んだに違いない、枯山水の庭である。

ざっと見渡して、

「はて？」

と、小袖は首をかしげた。

暗がりの中ではあるが、何かが揺れている。

雲間に覗く月明りが一瞬庭先を照らして、小袖の目に、枝ぶりのいい松の木にぶら下っ

て揺れている男の姿が映った。

表通りに、呼子《よぶこ》が鳴るのが聞こえた。

「遅すぎらあね」

と、小袖は呟《つぶや》いた。

囲い者

「肝を冷やしたぜ」

と、次郎吉《じろきち》は湯から帰った小袖へ文句をつけた。「着物にたんまり血をつけて帰って来やがって、何があったかと思ったじゃねえか」

「私に言わないでちょうだい」

小袖は鏡の前に片膝立てて座ると、「これでも、お役人から、くぐり戸の開いているのによく気が付いたとほめられて来たんだから」

「しかし、その斬りつけて来た浪人のことは話さなかったのか」

「だって、顔も見てなきゃ、あの暗がりで、背恰好《せかっこう》も然《しか》とは分らないんだもの。お役人に話しようがないわ」

「一緒にいた、道場の若侍はどうした？」

「ああ、米原さん？　自身番へ駆け込んだものの、あの店へは近付きたくなかったらしいわ」

「情ねえお侍だな」

「いいおうちの坊っちゃんだもの。こんなことに係《かかわ》り合わないようにと、お宅で叱られておいでよ、きっと」

次郎吉は瓦版《かわらばん》を畳に広げて、

「この主人の作兵衛ってのは、もしかして、あの土手の道でいい女と会ったとかいう……」

「首をくっていた旦那《だんな》？　ああ、そういえばあそこは染物屋だった」

藪《やぶ》そばで、幇間《ほうかん》の市介から面白おかしく話を聞いたのが、ほぼひと月前。

「女も屋敷も、煙のように消えちまったって話でしょ？　それとゆうべの押込みと何か係りがあると思うの？」

「それは分らねえ」

次郎吉は畳にごろりと横になると、「しかし、店の者はみな斬られ、主人一人が首をくっていたというのが、腑《ふ》に落ちねえ」

「お役人は、見せしめだろうって、大して気にしてなかったよ」

「見せしめなら、何の見せしめか、理由があるはずだ」

と、次郎吉は言って起き上り、「その一人だけ命拾いしたって娘、何といった？」

「とみっていったね」

「用心した方がいい。生き残りがいたと知れたら、必ず命を狙われるぜ」

「でも、瓦版にもそのことは載っていないよ」

「口伝いに知れ渡るものさ。駆けつけた同心、目明し、みんな知っていることだ。誰もが口が固いとは思えねえからな」

「そうね。でも、今あの子がどこにいるのかも、私たちに分らないもの」

「それはそうだ。——気をつかって、きちんと娘を守ってやってりゃいいが……。下働きの娘だろ？　あまり大切にされちゃいめえな」

「私、訊いてみようかしら」

「よせよせ。お役人なぞに知り合いができても、ろくなこたあない」

次郎吉は立ち上ると、「ちょっと出かけて来るぜ」

「賭場《とば》かい？」

「足が向きゃな」

ガラリと引戸を開けると、目の前に立っていた娘が怯《おび》えたように逃げようとする。

「おい待ちな！」

次郎吉は呼び止めて、「お前、とみっていうのか」

娘は振り返り、

「──はい」

と、頭を下げた。

小袖が顔を出し、

「まあ、よくここが分ったね」

気が緩んだのか、とみという娘は、小袖の顔を見ると、その場にしゃがみ込んで泣き出してしまった。

「──はい、どなた？」

格子戸の奥から、おずおずと覗《のぞ》いた若い女の顔。

「ごめんなさいよ。ちょっと話を聞きてえことがある。八重《やえ》さんだね」

と、次郎吉は言った。

「何の用です？」

出て来た女は、玄関先でフラッとよろけたと思うと、上り口にストンと腰をおろし、

「ちょっと……立てないんですよ」

と、かすれた声で言った。

「何だって？」

「ここ二、三日、何も食べてないもんで……」

次郎吉は目を丸くした。

——呆《あき》れるばかりの食い気だった。

「ああ……。生き返りましたよ。——拝みます」

と、女は手を合せた。

「よしなって。しかし、丼ものを二杯、そば三枚……。よほど腹が空《す》いてたとみえるね」

次郎吉はそば屋の二階の座敷で、八重という女と向い合っていた。

年齢は二十四、小柄で、どこかうつ向き加減の風情のある女だ。

「あんたが、染物屋の作兵衛さんの囲い者と聞いてね」

と、次郎吉は言った。

「旦那は殺されなすったんでしょう？　怖くて怖くて、私、豆腐一つ買いに出られず……」

「それで餓え死にしちゃ仕方ねえ。まあ、少し腹が据わったかい」

「今はお腹が重くて、動けません」

八重は真顔で言った。

「作兵衛さんには可愛がられてたかね」

ちょっと眉《まゆ》をくもらせて、

「あの方は、そりゃあ真面目で……。私のことも、はなから『これこれのお手当を出すから、妾《めかけ》になっておくれ』と、まるでそろばん片手なんです。色気も何もありゃしない」

と、ため息をついた。「そりゃあ、世話になっていたんですから、涙の一つも流さなきゃと思うんですけど、出ないものはどうしようも……」

「そもそも、どうしてお前さんは作兵衛さんに囲われることになったんだい？」

「私、もともとが百姓の娘で、二十歳の年齢《とし》に嫁に行くはずが、先方が前の晩に夜逃げ。私は、みっともないからと江戸へご奉公に出されたんです」

「そりゃ災難だったね」

「あちこちのお店で働きましたが、私の行く店、行く店、半年ともたずに潰《つぶ》れてしまうんです。――私、つくづく運のない我が身にいやけがさして、橋から身投げしようとしたんですが……」

当人は深刻だろうが、聞いている次郎吉の方は、妙におかしい。

「その身投げを止めて下さったのが、作兵衛さんとお内儀《かみ》さんだったんです」

と、八重は言った。「お店に連れて行かれて、何ならうちで働きなさいと、おっしゃって下さったんですが、私、それまでの身の上をお話しして、『私をお雇いになると、きっとお店が潰れます』と申し上げました。作兵衛さんは大笑いなすっておいでしたが……

「そりゃそうだろう。それで？」

「ともかく一晩ご厄介になり、翌日、失礼しようとすると、お内儀さんが私をお呼びになって、『お前、うちの人の囲い者になってくれないかい』と……」

「お内儀さんが？」

「ええ。――お体が弱く、お子様のできない体だそうで。私が百姓の出と知って、ぜひ男の子を産んでおくれとおっしゃったんです」

「なるほど」

次郎吉は、空になった器を見て、「この食い気はそのせいかい？」

「ええ……。今五つ月で。でも、旦那もお内儀さんもお亡くなりなすったんじゃ、どうしたらいいんだか……」

つくづくつきのない女である。

「八重さん。あんた作兵衛さんから、土手で出会ったふしぎな女の話を聞かなかったかね」

と、次郎吉が訊《き》く。

「ああ……。そういえば少し前に、おいでになったとき、そんなことを……」

「旦那がどう話してなすったか、聞かせちゃくれないかね」

次郎吉は膝《ひざ》を進めた。

八重の話は、口の達者な市介と違って、なかなか要領を得ないものだったが、それでも行きつ戻りつしながら何とかつながって行った。

結局、話の中身は市介から聞いたのと大差なかった。

「そりゃあ色白できれいな女だったって……。私はご覧の通り地黒ですし、足も太いし、同じ女でも、こうも違うか、と……」

「作兵衛さんがそう言ったのか」

「そうはっきりおっしゃったわけじゃありませんけど、そう思っておられたのは間違いありません」

「すると――その妙な女に惚《ほ》れていなすったのかね」

と、次郎吉は訊いた。

「そうでしょうね。でも、いくらそろばん片手に私を見初《みそ》めて下さったとはいえ、可愛がってもいただき、今はこの身に旦那《だんな》のお子を身ごもっている身です。少しは妬《や》きましたよ」

「そりゃあそうだろう」

と、次郎吉は肯《うなず》いて、「その女のことや、女の屋敷のことで、何か詳しい話はなさらなかったのかね」

八重はお茶を飲みながら、

「さあ……。私も、あんまり頭のいい方じゃないんで。よく思い出せません」

「それならいい。──ああ、ここは俺が払うから。あんたは、作兵衛旦那の供養をしてやんなさい」

「ええ。そのつもりでしたが、ともかく動く元気も出なくて……。お腹が空いていたからかもしれませんねえ」

と、つくため息が、どうもおかしくて、次郎吉はつい笑ってしまいそうになった。

「ごちそうになって、すみません」

と、長屋への帰り道、八重はくり返し礼を言った。「私──もう田舎へ帰ろうかしら」

「八重さん、しかし今その体で里へ帰っても、あんたも親ごさんも大変だろ」

「ええ……。でも、旦那もお内儀さんも殺されてしまいなすったんじゃ、もう……」

「ともかく、少しお待ち。俺が、ちょいとあの世へ行って、作兵衛の旦那にかけ合って来てやるよ」

次郎吉が真顔で言うと、八重は目を丸くして、

「そんなことができるんですか？」

と、大真面目に訊いて来た。

「からかっちゃあ、可哀そうだわ」

と、小袖が苦笑する。

「なに、こっちは本気さ」

次郎吉はとぼけた。「ときに、あの子――とみっていったか。大丈夫なのか」

出かけようとしているところだった。

「ここじゃ人目につくから」

と、小袖は言った。「米原様のお屋敷へ連れて行ったの」

「米原って、お前を置いて逃げ出した若侍だろ」

「恥ずかしくって、私に合せる顔がないらしいの。あの子を頼んだら、喜んで引き受けてくれた。――あのお宅なら、下働きの女の子が一人や二人ふえたって、ちっとも目立たないから」

「なら安心だな」

「でも、このままあの非道な連中が逃げおおせちまっちゃ、神も仏もないのか、って気がするわね」

と、小袖がため息をつくと、

「なあに、これじゃ終らねえ」

「え？　それって……。ねえ、何か分ったの？」

小袖の声を背に、次郎吉はさっさと行ってしまった。

土手の灯

「ねえ旦那、もういけません。帰りやしょうや。ね、悪いこたあ言いません」

とは言いながら、市介の足取りは何かにせき立てられるように、土手の道を先に立って行く。

「なあに、誰もお前に損を償えとは言いやしないよ」

色白ないい男の客である。

とても商人には見えない。役者なら成田屋《なりたや》だ、などと江戸の娘たちに評判の高いこの男。親の代からの米問屋の跡取り息子。父親が達者な内から、道楽だけは通人と言われている。

「この辺りかい、その女が出たのは？」

「出た、なんてよして下さいよ。ただでさえ足がすくんでるんですぜ」

「そうか。しかし、幽霊なら、すくむ足もないってもんだ」

「そいつは禁句ですぜ」

と、市介は首をすぼめて、提灯《ちょうちん》を持ち直した。「ねえ、与兵衛《よへえ》の旦那。旦那は、町娘にだって、芸者衆にだって、もててお困りじゃねえですか。何も好んで、こんな土手に狐か狸かも分らねえ女を捜しに来なくたって……」

「狐、狸も結構。騙《だま》されてみるのも乙なものさ」

と、与兵衛は楽しげに言った。

「知りませんぜ、どうなっても……」

市介は、辺りをうかがうように見回して――つい目の前の誰かにぶつかりかけて、

「わっ！」

と、飛び上った。

提灯の明りに、透き通るように白い女の顔が浮かび上った。

「旦那……。出ました！」

と、市介が後ずさる。

「これはこれは……。寒い中、足を運んだ甲斐《かい》がありました」

与兵衛は女の面立ちに見とれて、「――美しい！　吉原の大夫《たゆう》もかないませんな」

と、ため息をつく。

「恐れ入ります」

女は少し上方の訛《なまり》があった。「よろしければ、私のあばら家へお立ち寄り下さいませ」

「あばら家だろうがうまやだろうが、喜んで寄らせてもらいますよ」

与兵衛は、もう市介のことなど眼中になく、

「さあ、ご案内を」

「はい。——どうぞこちらへ」

女の手にした提灯の灯が、フワリと脇道へ消えて行く。与兵衛の姿も、すぐに見えなくなった。

——市介は、しばらく灯の消えた方を見送っていたが、

「俺のせいじゃねえよ」

と、呟《つぶや》いた。「恨まねえで下せえよ」

急ぎ足でその場を離れようとした市介は、誰かの気配に足を止めた。

「——誰だ！」

声が上ずっていた。

「何をびくびくしている」

木立ちのかげから、浪人が現われて、笑った。

「これは旦那……。あの——ちゃんとおっしゃる通りにしましたぜ」

「分っておる」

浪人は市介の周りをぶらぶらと歩いて、「しかし、そう怯《おび》えていては、吟味のとき、口をつぐんではおられまい」

「だって……旦那《だんな》、お約束じゃございませんか。この仕事の後は、江戸を捨てて出るって……」

「言ったとも」

浪人の手が刀の柄《つか》にかかった。「江戸を出て、地獄へ行け」

刀が鞘走《さやばし》るより早く、提灯の火が消えた。白刃は空を切った。

「おのれ！　逃がさんぞ！」

草を踏む音がして、浪人は素早く駆け寄ると、見当をつけて真直ぐに斬り下ろした。

ザクッと手応《てごた》えがあって、そのまま川へ転がり落ちるのが分る。水がはねた。

浪人は刀を納めると、

「手こずらせおって……」

と呟いた。

しかし、あの手応えなら、命はない。

いずれ下流で死体が上ろうが、二日や三日はかかるだろう。

浪人は足下に気を取られながら、土手の道を戻って行った……。

「ちぇっ。今日の客は何だい」

高座を下りた二つ目が、楽屋へ戻るなり舌打ちした。「噺《はなし》なんか聞いちゃいねえ。当てつけがましくおしゃべりばっかりしてやがって」

「愚痴はいけねえよ。噂話に負けてるようじゃ、芸はまだまだってことさ」

楽屋で寝転がっていた次郎吉が言った。

「何だ甘酒屋さんか。来てたんですかい」

「噺は袖《そで》で聞かせてもらった。悪くねえが、客の中に噂の与兵衛がいたのが、気の毒だったね」

「それであのざまか。――どうりで、娘さんたちが一人も俺の方を見てねえと思った」

「――なあ、市介を見たかい？」

と、噺家の仲間が覗《のぞ》く。

「あの幇間《ほうかん》の？　今日は見てねえな」

「昨日も一昨日《おととい》も、どの店にも顔を見せねえっていうんだ」

「大方、どこぞで酔い潰《つぶ》れてるんじゃねえのか」

「しかしな、座敷を放り出すなんぞ、市介らしくないぜ」

次郎吉は伸びをして、

「さて、帰るか」

と、立ち上った。

「何だ、師匠を聞いて行かねえんで？　新しい怪談噺で、こいつあ怖いよ」

「なに、世間にも怖いもんはたんとあるからね」

次郎吉ははぐらかして、「ごめんよ」

と楽屋を出た。

――寄席を出ると、辺りは大分暗い。

「兄さん、また木戸銭払わないで入ったんでしょ」

いつの間にか小袖がそばを歩いている。

「人聞きの悪いことを言うな。俺は払うものは払ってる」

「与兵衛さんはお気に入りの芸者衆を七、八人も連れてたってね」

「聞いたか?」

「いやでも耳に入ってくるわ。あの遊び人の与兵衛さんが『見たこともないべっぴんだった』って言ってるんだもの。女たちには噂の種よ」

「そうか。――しかし、人間、好みってものがある。作兵衛のようないい年齢の男と、与兵衛みたいな若い色男で、好みが同じってこたあないだろう」

「でも当人がそう言ってるんだから」

「そこが、この一件の面白いところさ」

次郎吉は懐手をして、「お前、小太刀は置いて来たか」

小袖は手にした番傘をちょっと持ち上げて見せた。

「この中よ」

「気がきくな」

次郎吉はニヤリと笑って、

「そこまで気がきくのに、どうして一向に男どもが寄りつかねえかな」

「そいつは兄さんのせいよ」

と、小袖は言い返した。「これをどこで使おうっていうの？」

「今に分る。お前も、この前の立ち回りの決着をつけたいだろ」

「私のせいにしないでよ」

と、文句はつけながら、小袖も次郎吉の言葉に納得しているかのようだ。

裏木戸

二つ、三つ、と裏木戸を叩《たた》く音がした。

与兵衛は、チラチラと庭に人影がないのを確かめて、裏木戸のカンヌキを外し、戸を細く開けた。

「お邪魔いたしますよ、旦那」

と、女が腰をかがめて入って来る。

「しっ」

与兵衛はあわてて、「夜中に起き出す小僧や女中がいるんだ。用心しておくれ」

「じゃ、中へ入りましょうよ」

女が与兵衛の腕にぶら下るように甘える。

「待ってくれ。——ここじゃ、そんな真似はできないよ」

「じゃ、どこで話を？」

「金なら、ほれ、ここにある」

与兵衛は懐から百両の包みを出して、

「早く、あれを返しとくれ」

「はいはい」

女は胸もとへ手を入れると、「お約束の通り」

「間違いないだろうね。偽物なぞつかまされた日にゃ……」

暗がりの中、与兵衛はしきりに目をこらしたが、見分けられない。

「私を信用なすって下さいましな」

と、女が愉快そうに言った。

「信用なんぞできるもんか。——これが偽物で、もしまたゆすりに来ようって魂胆なら、そうはいかないよ。二度は払わない。お役人へ届けるからね」

女はちょっと笑って、

「どうぞお好きに。恥をおかきになるのは旦那ですよ」

与兵衛は渋い顔で、

「用がすんだら、さっさと帰っとくれ」

と言った。

「旦那、そりゃつれないおっしゃりようですよ。一夜とはいえ、床をご一緒した仲じゃありませんか」

女が身をすり寄せると、

「よしとくれ。あれは私の心得違い。女のことは、一から十まで分っているつもりだったが、まだまだ修業が足りなかったよ」

と、与兵衛が身をよけて、「さあ、出てってくれ。ちゃんと裏木戸を閉めなきゃならない」

「まあ、つれないお言葉。――よござんす。これでお別れということに」

「ああ、そうしておくれ。二度と私の前に姿を見せるんじゃないよ。この家の辺りをうろついてたら、自身番へ突き出してやるだけだ」

「おおこわ。――ご安心なすって。もうお目にかかることはございません」

「そう願いたいね」

「お目にかかりたくても、旦那《だんな》の目がもう開かないでしょうしね」

「――何だって？」

裏木戸がガラッと開くと、黒い人影が一つ、滑るように入って来て、

「誰だ？」

と問う与兵衛の喉《のど》もとへ白刃がピタリと当てられた。

「声を出すな」

と、浪人が言った。「喉をかっ切るぞ」

裏木戸から、次々に人が入って来る。

「お前は……」

与兵衛の声が震える。

「盗《ぬす》っ人《と》でござんすよ、旦那」

女の声がガラリと変る。「警戒厳重な米問屋も、当の旦那様が手引きして下すっちゃ、押し入るのも楽ってものでしてね」

「じゃ……お前たちは、あの作兵衛さんの染物屋へも……」

「ええ。あの旦那はいい方でしたよ。ご家族手代から番頭、風呂《ふろ》たきまで、みんなが斬り殺されている間、何も知らずに私と睦言《むつごと》を交わしていたんですからねえ」

と、女は笑った。

「まさか……。やめてくれ！　金はやる。いくらでも持ってけ。命だけは……」

与兵衛の声が震えている。

「残念ですが、そうは参りませんのでね」

女は、十人近い賊が庭へすっかり入って来たのを見回すと、「――よし、かかりな」

と肯《うなず》いた。

手なれた技で、雨戸が音もなく外れていく。

賊の姿は次々に店の中へと消えた。

「私を……どうしようっていうんだ」

冷汗がこめかみを伝って行く。

「よく見ておかれるんですね。ご自分の遊びのつけが、こんな風にお店の方へ回るってところを」

「よしてくれ！　店の者にゃ、何の罪もないじゃないか」

「世の中にゃね、旦那、悔んでも遅いってことがあるんですよ」

賊の一人が、廊下へ姿を現わして、

「おかしいぜ。誰もいねえ」

と、息を弾ませた。

「何だって？　そんな馬鹿な」

「人っ子一人いねえよ」

女の顔から血の気がひいた。

「引き上げるんだ！」

と、女が叫んだとたん、庭のどこに潜んでいたのか、捕手たちが一斉に現われた。

「畜生！　こんなこととは――」

女が歯ぎしりした。「殺しておしまい！」

浪人の刀が与兵衛の上へ振り下ろされる――と見たとき、石つぶてが浪人の額へヒュッと音をたてて飛んで来て命中した。

「囲んであるぞ！　諦《あきら》めろ！」

屋敷の中ではバタバタと捕物が始まっていた。

「逃げるぞ」

浪人は額を押えて呻《うめ》くと、裏木戸から飛び出した。

左右の道に一杯に広がる御用提灯《ちょうちん》。

「おのれ……」

浪人が刀を振り回して、斬り込んで行く。

捕手がワッと左右へ分れると、女が浪人にピタリとついて、駆け出した。

「アッ！」

と、女が声を上げたのは、頭からフワリと網がかけられたせいだった。「畜生！　捕まってたまるか！」

短刀で網を切ろうともがくが、それより早く捕手の縄が十重《とえ》二十重《はたえ》に体を搦《から》め捕る。

――浪人は、捕手を二、三人斬って夜道へ逃れた。

呼子《よぶこ》が鳴って、どの小路も捕手が網を張っている。

浪人は息を弾ませて、周囲を見回したが、

「欲を出すもんじゃありませんね」

と、声がした。

「誰だ！」

浪人は、屋根の上からこっちを見下ろしている人影を見上げた。「何者だ！」

「盗っ人ってことじゃ、似た者同士かもしれねえが、人を殺《あや》めねえ俺とお前さんたちとは天と地ほども違うね。いらぬ殺生は、身を滅ぼすぜ」

「お前は――〈鼠〉か」

「まあ、人によっちゃそうも呼ぶがね」

浪人は振り返った。

「――貴様！」

市介が怯《おび》えたような眼差《まなざ》しで、浪人を見ている。

「死んだはずの市介ですよ」

と、〈鼠〉が言った。「俺が提灯の火を吹き消して、あの暗がりの中、あんたが斬ったのは野良犬の死骸《しがい》さ」

「——仕組んだな」

浪人がニヤリと笑って、「たとえ一人でも、道連れにしてやる」

市介に向って刀を振り上げると、市介の背後から小太刀の切っ先が浪人の腹を突いた。

「おのれ……」

「二度目にお目にかかるのが、運の尽きでしたね」

市介があわてて逃げ出すと、小袖が小太刀を手にさげて立っていた。

「あのときの女か……」

浪人がよろけた。

「そのまま、お縄にかかるのをお待ちなさい。いずれ獄門打ち首は間違いありませんけどね」

「縄目の恥を受けるよりは……。俺を斬れ！」

「ごめんですね。刀の汚れになるってもんですよ」

浪人は苦しげに笑うと、

「女に斬られて死ぬか……。世の中、何があるか分らんもんだな……」

と言って、小刀を抜くと、腹へ深々と突き立てた。

小袖は小太刀を納めると、

「これで、作兵衛さんも成仏できるってものね」

と言った。「兄さん。——兄さん？」

〈鼠〉の姿はもうなかった。

——米問屋を舞台の大捕物は、明け方近くなって、やっと一人残らずお縄になり、おさまったのだが、後になって店の主人を始め番頭手代が店へ戻ってみると、妙なことに蔵が開けられ、中の千両箱一つ、消えているのが分った。

誰が盗《と》ったものやら、店の者たちも首をかしげたが、主人が、

「人の命が助かったのだ。その支払いをしたと思えば安いもの」

と、あえて調べなかったのである。


「通人を気取っているくせ、女に誘われてついて行ったら、ゆすりたかりの類《たぐい》だったなんぞ、口が裂けても言えないもんだ」

次郎吉は、小袖と連れ立って川端の道を歩いていた。「与兵衛は、死んだ母親の形見の根付を取り上げられ、百両で買えとおどされた。作兵衛さんも同じようなことがあったんだろう。裏木戸を開けて、自ら賊を引き入れることになっちまった」

「それで首を吊《つ》ったのね」

「しかし、市介を片付けようとしたのが間違いだな。それに、あの、とみって娘が女と作兵衛さんの話を洩《も》れ聞いていた」

「米原様のお屋敷でご奉公するそうよ」

「そりゃ良かった。——まだあの年齢だ。立ち直るだろうぜ」

小袖は足を止め、

「私は寄る所があるの。兄さんは？」

「俺は、ちょっと女の所へ行く」

「帰りは明日？」

「そうじゃねえよ」

と、次郎吉は笑って、「届けるものがあるのさ」

——八重は玄関先へ出てくると、

「この間は、ごちそうになりまして」

と、膝《ひざ》をついた。「上って下さいな。私も心を入れかえて、旦那《だんな》のご親切に報いるにゃ、元気な赤ちゃんを産むことだと思ってるんです」

「そいつはいいことだ」

次郎吉は上り口で腰をかけ、「ここで充分だよ。——これは作兵衛の旦那から、お前さんへの心づくしだ」

と、懐から百両の包みを三つ、取り出して置いた。

「三百両！」

と、目を丸くする八重に、

「遠慮することあないぜ。ちゃんと作兵衛さんからことづかって来た金だ。これで店でも開くか、田舎へ帰って親と暮すか。いずれにしても、赤ん坊をよろしく頼むと言われて来た」

八重はその金をじっと見ていたが、

「――旦那様は、お幸せそうでしたか」

と言った。

「ああ。しかし、八重のように優しい、いい女は極楽にもいないとさ」

八重が目を上げて、

「そうおっしゃったんですか、旦那様が……」

「ああ。お前さんに幸せになってくれ、と、そう伝えてくれってことだったよ」

八重の目から大粒の涙が溢《あふ》れて、頰を伝い落ちて行った。

「――ちょうだいします。この金子」

と、両手をついて、「江戸に残り、旦那様のお墓を守っていきます」

「そうか。——じゃ、達者でな」

と、次郎吉は立ち上った。

「あの……」

「うん？」

「私が行くまで、旦那様、待っていて下さいますかね」

次郎吉は微笑んで、

「ああ、向うじゃ年齢《とし》もとらねえしな」

と言った。

八重が声を上げて笑った。

弾けるような、その笑い声が、次郎吉の耳にいつまでも快く残って聞こえていた……。

鼠、討つ

帰り道

「今夜の〈甘酒屋〉さんにゃ、誰もかなわねえよ」

賭場《とば》の胴元、総兵衛《そうべえ》が苦笑した。「芸者をあげて、ワッとやるかね」

「さてね。ま、少し考えてからにするよ」

〈甘酒屋〉と人から呼ばれるものの、甘酒を売ったことはない。次郎吉《じろきち》は、賭場の若い衆へ、

「これで一杯やってくんな」

と、ちょっと目をむくような額を渡して、

「こいつはどうも……」

何度も頭を下げられながら、細川の賭場を後にした。

大名の江戸下屋敷で夜ごと賭場が開かれている。むろん御法度だが、誰もが知っていて目をつぶっているのだ。

——まだ江戸の夜は続く。

次郎吉は、いつも少し早目に引き上げる。賭場の連中は、次郎吉が稼ぎを懐に、吉原へ

でもくり込むかと思っているだろう。

しかし、次郎吉はその手の遊びに関心はない。

「儲《もう》かったといったところで、これまで何倍も巻き上げられてるんだからな……」

むろん、客がいつも儲けて帰っちゃ胴元がやっていけない。——たまにはこうして「勝たせてもらう」日もあって、客は足を運ぶのである。

夜道の寂しい辺りへやって来たとき、次郎吉は足を止め、

「誰か知らねえが、こんな夜に人の跡を尾《つ》けるのは、感心できねえな」

と言った。

ハッと足を止める気配。

小刻みな足音から、女だろうと見当はつけていたが。

「申しわけございません」

という声に振り向くと、武家奉公の娘かと思える身なり。

その娘が、いきなり次郎吉の前にタタッと駆け寄ると、

「お願いでございます！」

と、土下座したから、次郎吉もびっくりした。

「おいおい。そんな真似をされちゃ困るよ。ゆうべの雨で、まだ道は少しぬかるんでいないかい？　着物が泥で汚れるぜ」

　しかし、娘は構わず両手をついたまま、

「賭場の外で待っておりました。勝って出てくるお方はないかと」

「それでずっと跡を尾けて来たのか。しかし何のために？」

　娘は顔を伏せ、絞り出すような声で言った。

「恥を忍んでお願い申します。――私の体、三両でお買いいただけないでしょうか」

　次郎吉はますます面食らっていたが、

「まあ、立ちな。いきなりそう言われても、こっちもわけが分らねえ」

と、娘を促して立たせると、月明りに青白いその面立ちが初めて見てとれる。

　年のころは二十四、五か。小柄で細身なので、子供のように見えたが、こうして見ると
それほど若くはない。

「三両で買えと言われてもね……」

「私も己れにそんな値打のないことはよく存じております。そこを何とか――」

「いや、待ってくれ。あんたはそう言いなさるが、そこいらの女郎屋へ身を売りゃ、もっとまとまった金になる。三両って半端な額はどういうわけだね」

　次郎吉は、女の着物の汚れを見てとった。

「どうやら今だけの汚れじゃないね。長旅かい」

「はい……。もう十一年になります」

次郎吉もさすがに驚いた。

「十一年？　ずっと旅を続けているのかい？」

「はい。――十五の年からでございます」

「十五から……。すると今は二十六歳か。旅回りの芸人とも見えないね」

「私――さるお屋敷にご奉公に上っておりました、りんと申します」

「おりんさんか。一人旅かね」

「いえ……。旦那様《だんな》についての旅でございます。と申しましても、旦那様はまだ二十九。十八の年に、十五の私と旅に出たのでございます」

次郎吉は、りんという女が、ひどくやつれているのに気付いていた。声にも力がない。

「おりんさん。あんた、そんな話より、まず自分が倒れそうだってこと、分ってるかい？」

と、次郎吉が言うと、

「いえ……。大丈夫でございます。私は特にどこも……」

と言いかけて、りんは突然ぐったりと次郎吉の方へ身をもたせかけて来た。

「おい！――おい、しっかりしなよ！――参ったな、どうも」

りんという女、すっかり気を失っている。

放っておくわけにもいかず、結局次郎吉はりんを背負って、長屋の住いまで運んで行くことになったのである……。

終りのない旅

「また妙な拾いものをしてきたわね」

と、小袖《こそで》が呆《あき》れ顔で言った。

「好きで拾ったわけじゃない」

次郎吉は妹へ、「どうだ、生きてるか？」

と、念を押した。

「大丈夫だけど……。特に熱もないし」

小袖は手をりんという女の額に当てて言った。「――三両で買えって？」

「俺にそんな話を持ちかけてくるのも妙だが、十一年の長旅ってのも普通じゃねえ」

「この人、きっとお腹が空《す》いてるのよ」

「失神するまでか？　辛抱強い話だな」

「おかゆがあったわ。目を覚ましたら……」

――ほどなく、りんは身動きして、目を開けた。

「気が付いたかい。びっくりしたぜ、突然倒れかかってくるから」

りんは、一瞬わけが分らずに、部屋の中を見回していたが、

「――ここは、あなた様の……」

「『あなた様』ってほどの者じゃないがね。ああ、妹の小袖だ。俺は通称〈甘酒屋の次郎吉〉」

「熱いおかゆよ。何かお腹に入れないと起きられないわ」

碗《わん》に入れた、白い湯気を立てるおかゆを見て、りんは唾《つば》をのみ込んで起き上った。

「さあ、少しずつ召し上れ」

と、小袖の差し出した碗へりんは手を出したが――。

ハッと顔をそむけ、両手を下へ落として、

「いただけません」

「まあ、どうして？」

「旦那様が何も召し上らずに耐えておられるのに、私が先にいただくわけには参りません！」

次郎吉は呆れるやら感心するやら。

「今どき、ここまで律儀な女がいるのか。侍でも珍しいぜ」

「おりんさん。お気持は分るけど、今の様子じゃ、その旦那様の所までも行けやしないでしょ。これを食べて、起きられるようにならないと」

小袖の言葉に、りんはうなだれて、

「では……」

と、そっと手を伸した。

震える両手でお碗を包むように持って、熱いおかゆを、水を飲むような勢いで流し込んで行く。

「火傷《やけど》するわよ、気を付けて！」

小袖が思わず声をかけた。

りんは、碗をすっかり空にしてしまうと、

「お恥ずかしい姿をお見せしまして……」

と、目を伏せた。

「なに、腹が減ったときは、誰だって夢中で食べるものさ。失礼だが、何日食べてなかった？」

りんは少し恥ずかしそうに、

「この五日、水だけ飲んでおりました」

と言った。

小袖が目を丸くして、

「兄さんならとっくに行き倒れね」

「俺の話をしてるんじゃねえぞ。――なあ、おりんさん。あんたが三両と言いなすったのは――」

「路銀が底を尽き、宿賃が払えないのでございます」

「なるほど。それなら、その宿で下働きだの皿洗いだの、手伝ってやりゃいいじゃないか」

「それも考えましたが、とても追いつきません。今の宿屋に、そう長く居続けるわけには参らないのでございます」

「つまり、また旅へ出るってことか。いったいどうして、そんな長旅をしてなさるんだね？」

りんは少し迷っていたが、

「――仇討《あだうち》の旅でございます」

と、少し改まって言った。「旦那様は立花浩之介《たちばなこうのすけ》様と申しまして、今から十一年前、お父上を同じ藩の侍に斬られたのでございます」

「ほう。すると、その斬った侍を捜して？」

「はい。殿様より仇討赦免状をいただき、ご親戚《しんせき》一同から励まされて旅立ったのでございます」

小袖も呆気《あっけ》に取られ、

「その敵《かたき》を捜して十一年も？」

「はい。これまでに二度、目指す敵の居場所を突き止め、今一歩のところまで追い詰めながら取り逃しました」

十一年で二度……。

次郎吉も、仕事のためなら少々の辛抱はいとわないが、この仇討には負ける。

「大変なのね、お侍さんって」

と、小袖は首を振って言った。

「おりんさん」

と、次郎吉は懐から紙に包んだ金子を出して、「さあ、ここに五両ある。これで宿賃は払えるかい？」

「はい！　ありがとうございます。でも……」

「いけねえいけねえ」

と、次郎吉はあわてて手を振って、「俺はあんたを買ったりしないぜ。この金は、あんたも知っての通り、博打《ばくち》で儲《もう》けた悪銭だ。遠慮しないで使いなせえ」

「でもそれでは……」

「何かまずいことでもあるのかい」

「旦那様は、施しを受けるくらいなら飢えて死ぬほうがいいと申されまして……。私も、ただこうしてお金をお恵みいただくわけには参りません」

穏やかだが、きっぱりした口調。

次郎吉は、感心していいのか呆れるのが正しいか、しばし迷ったが、

「じゃ、この金は、あんたへ貸すことにしよう。それなら構わないだろう？」

と、貸してやるというより、「頼むから素直に借りてくれ」と拝んでいるよう。

妙な話だが、成り行きでこういうことになってしまったのである。

「おりんさん、あんまり強情張るもんじゃないわ。あなただって、どこの馬の骨かも分らない男に、三両や五両で抱かれたいとは思わないでしょ？」

「おい、兄を捕まえて『馬の骨』はねえだろう」

と、次郎吉は少々不満そうだが、まあ言わんとするところは妹と変らない。

「──申しわけありません」

りんは手をついて、「必ずこのお金はお返しします」

「いつでもいいぜ。その旦那《だんな》様が、めでたく出世でもなさったときに返してもらおうぜ」

次郎吉はホッとしていた。

とても、立派とは言いかねる宿屋だった。

泥棒という商売柄（？）、次郎吉も相当小さな宿屋まで頭に入っているが、ここは知ら

なかった。

「ここかい」

「はい。旦那様にお話しして参ります。きっとお礼を申し上げたいと言われると思いますので、こちらでお待ち下さい」

「ああ、いいとも。早く行ってあげなせえ」

むろん、次郎吉は、りんが中へ入って行ったら、すぐに逃げ出すつもりである。

りんはいそいそと宿屋ののれんをくぐろうとした。

そのとき、

「ふざけるんじゃねえ！」

と、怒声がしたと思うと、道を挟んでちょうど宿の向いにある飯屋の戸がガラッと開き、誰やらが転がり出て来た。

「あれだけ食っといて、一文なしだと？　どういうつもりだ！」

腰に両手を当てて、主人らしい前掛け姿の男がカンカンになっている。「しかも、図々《ずうずう》しい！　平気な面で、『好きにしろ』だと？　何てえ言いぐさだ」

店から叩《たた》き出されたのは、まだ若い侍で、地面に尻《しり》もちをついたまま、立ち上れずにいた。

「――旦那様！」

りんが、驚いて駆け寄った。

次郎吉と小袖は顔を見合せた。

これが、りんの「旦那様」か。立花――何とかいったっけな。

次郎吉は、ろくに名前も憶《おぼ》えていない。

「りんか。戻って来てくれたのか」

と、その侍は喘《あえ》ぎ喘ぎ言った。

「遅くなりまして申しわけございません」

りんは主人を助け起すと、「こちらの方の召し上った分はいかほどでしょうか」

と、店の主人に訊《き》いた。

「――りん、お前、その金をどこで」

と、侍は訊いた。

「こちらのお方が、お貸し下さったのでございます」

と、りんに引き合されては逃げ出すわけにもいかず、次郎吉は無理に愛想笑いなどして見せたのだった……。

たまった宿賃を払って、すっかり機嫌の良くなった宿屋では、次郎吉たちにもお茶など出してくれ、すり切れて日に焼けた畳の一間で、小袖ともども、立花浩之介の話を聞くことになった。

「目指す敵の和泉定五郎《いずみさだごろう》が、最近江戸の芝居小屋に現われたと人づてに聞き、やっとの思いで、こうして江戸へ辿《たど》り着きましたが……」

長旅の苦労のせいだろう、二十九歳のはずの立花浩之介は、四十にも見えた。

「ご苦労なさいますね」

と、小袖が多少皮肉をこめて言ったが、向うは真当に受け取って、

「恐れ入ります。——私も何とか今度こそは憎き和泉定五郎を討ち取り、故郷へ帰参したいと願っております」

「しかし——十一年、旅をなさっていると伺いましたが、途中一度もお帰りにならなかったんですか」

と、次郎吉は訊いた。

「はい。仇討を願い出て許された以上、果さずに帰るのは恥。たとえ何十年かかろうと、父の仇を討って帰りたいのです」

と、立花浩之介は言った。

「なるほど。しかし江戸ったって広うございますぜ。目指す相手を捜すといっても、当てはありますんで？」

「それが……」

と、立花浩之介は眉《まゆ》をくもらせ、「我々両人とも、江戸へ出てくるのは初めて。色々噂には聞いていましたが、これほど大きな町だとは……」

「私も、芝居小屋を捜せば、和泉定五郎が見付かると思っておりました」

と、りんが肩を落とし、「ところが、芝居小屋といいましても、一つや二つでなし。しかもどこを覗《のぞ》いても、人で溢《あふ》れんばかり。どうやって相手を見付けたものだか、途方に暮れております」

しばらく沈黙があって、

「次郎吉殿！」

と、立花浩之介が両手をついた。「お願いでござる！」

決　心

「兄さん――」

「言うな」

「だけど――」

「それ以上言うな」

次郎吉は、帰り道、ついせかせかとした足どりになっていたのは、少しでもあの主従から離れたかったせいかもしれない。

「——あんなくだらねえことに十一年も？　俺にゃ分らねえよ。たとえあいつらを手伝って、仇討《あだうち》を果させてやったところで、そんなに長い年月たって故郷で喜ばれると思うか？」

小袖はちょっと笑って、

「私も同感よ」

と言った。

次郎吉は足を止めて、

「何だ。——俺のことを、情を知らない男だとけなすんだとばっかり思ってたぜ」

「早とちりね」

「仕方ねえ。江戸っ子だ」

「ちょっと、おそばでも食べて帰らない？」

と、小袖は言った。

——そばをすすりながら、

「お前も、あの二人の仇討は無理だと思うか」

と、次郎吉は訊いた。

「そりゃ分らないけどさ、運が良きゃ、その敵とやらに巡り会えるかもしれない。でも、私、腹が立ったの。あのおりんさんが体を売ってまでお金をこさえようとしているのに、主人の方はどう？　おりんさんに、ちっとも申しわけないと思ってやしないじゃないの」

「そいつは当ってるな。十一年も旅をしてりゃ、男と女だ。情が移るってもんだろうがな」

「おりんさんが、あくまでご奉公している身だってことで、分をわきまえているのよ」

「しかしなあ……。それだけで十一年も何もなしにすませられるもんか？」

「兄さんにゃ無理よね」

「俺の話じゃねえだろ」

と、次郎吉は顔をしかめた。「芝居小屋でその――和泉定五郎ってったか？　そいつを見付けるったって、十一年も前に会ったきりだぜ。様子も変っているだろうし、果して目指す相手だと分るのか？」

「そうねえ。あの二人、そういうことはあんまり気にしてないみたいね」

――次郎吉は、どうも気に入らなかった。

どこがどう、というわけではない。

それはいわば次郎吉の「勘」というものだが、理屈でないだけに、間違いとも言い切れない。

敵を見付けるのに、「お力を貸してほしい」という立花浩之介の願いを、次郎吉は断って出て来たのだ。

「兄さんが、あのお侍の頼みを断ったのは、正しかったと思うわ」

と、小袖は言った。「でも、私はおりんさんのことが気になるわね」

「俺だって、気にならないわけじゃねえ。しかし、他人様《ひとさま》の生き方にとやかく言うのは好みじゃねえ」

「言えた柄じゃないしね」

と、小袖はからかった。

二人がそばを食べ終えると、

「失礼だが……」

と、声をかけて来たのは、どこかのご隠居といった風体の老人で、「ここへ入って来たとき、チラと和泉定五郎とかいう名前を耳にしたように思いましたが、もし聞き違いなら、お赦《ゆる》し下され」

「いや、その通りですが……。その名前にお心当りが？」

「もしかして、役者の定五郎のことではないかな」

次郎吉と小袖は顔を見合せた。

役者か！　「芝居小屋」といっても、客とは限らないわけだ。

「いや、私は浄瑠璃《じょうるり》作者でな、あちこちの座に書いている。そのせいで役者とも親しいのですが、今人気の出て来ている橘屋《たちばなや》定五郎という役者、確か以前は和泉定五郎と申したはず」

「たちばな屋？　どんな字を書くんです？」

次郎吉は聞いて、「――橘屋か。字は違うが〈立花〉の名を……」

敵と狙われているとしたら、なぜわざわざ相手の注意をひきそうな芸名をつけたのだろう。

「その役者さんは元はお武家様でしたか」

と、小袖が訊《き》く。

「さよう。いずれの藩の方かは知りませんが、以前は武士だったとは聞いたことがある」

と、その男は言って、「定五郎にどんなご用かな？」

次郎吉は涼しい顔で、

「なに、ちょっとなじみの女がね、どうもどこぞで見た役者が昔の知り合いに似ていると か言い出しまして、昔知っていたときは、和泉定五郎とおっしゃったそうですが、何とい ってもお武家様、失礼なことを言っちゃいけねえよ、と釘《くぎ》を刺しといたんで」

「そうですか。いや、役者も人の子。昔の知り合いにも、会いたい者と会いたくない者が ありましょう。もし、その女の方がご興味をお持ちなら、いつでも遊びにおいでなさい」

すでにおそばを食べ終えた、その「戯作者《げさくしゃ》」は、静かに会釈して出て行った。

「――やれやれ、びっくりだ」

と、次郎吉はホッと息をついた。

「ねえ、あの人たちは十一年も捜し続けたのに見付からない。それなのに私たちは、たった一日……」

二人は肯《うなず》き合った。

「面白えもんだな、世の中ってのは」

と、次郎吉は言った。

「おりんさんに知らせてあげる？」

「そうだな……」

次郎吉は、やはりよく理由は分らなかったが、すぐにこのことをあの二人へ知らせない方がいいように思ったのだ。

「相手は役者だ。逃げも隠れもしないだろう」

「じゃ、放っておくの？」

「いや、そうじゃない。そうじゃないが、少し様子を見よう」

次郎吉は、ガブッとお茶をあおるように飲んだ。

「旦那様《だんな》」

りんは静かに言った。「お願いがございます」

「どうした、改まって」

浩之介は、りんが買って来た酒を茶碗《ちゃわん》であおって、「——旨《うま》い！　久しぶりだな」

「ゆっくりお召し上り下さい。酔いが早く回りましょう」

「うん。——それで、何だ、願いというのは？」

「私を売って下さいませ」

浩之介は当惑して、

「売る？」

「はい。私のような者でも、何十両かにはなりましょう」

浩之介は茶碗を置いて、

「おい、りん。お前を売って、その金でどうしろというのだ」

「芝居を見に行かれるのです」

と、りんは言った。「あれだけの数の芝居小屋、何度も足を運ばねば、和泉定五郎は見付けられません」

「お前の言うことは分るが……」

「それには木戸銭だけでも、かなりの額が入り用でしょう。私が少々外で働きましても、とても追いつきません」

「しかし……」

「お願いでございます」

りんは頭を下げた。

「俺に──一人で、定五郎を討てというのか。二人で捜して来たのだぞ、十一年も」

「むろん、私も……。でも、今は相手を見付けるのが先でございます」

りんの目に涙が光っていた。

覚悟

「本日はお招きにあずかり、ありがとう存じます」

襖《ふすま》が開くと、かすかに白粉《おしろい》が匂う。

むろん舞台と違って「女」になっているわけではない。それでも日ごろの精進のせいか、そっと揃えた両の手の指先まで、たおやかな「女」のものになっている。

「これはこれは、本当においで下さるとは嬉《うれ》しい。いいみやげ話ができます」

と言ったのは、「役者を一晩接待してみたい」と思い立った旅の商人。

「恐れ入ります」

「さあさ、どうぞ中へ。──ゆっくりお話など伺いたくて、三味線の一人も呼んでいないが、いかがでしょうか。二人、さし向いでは気詰りと思われるなら、主《あるじ》に言って、誰ぞ寄《よ》こしてもらいましょう」

「いえいえ、私もにぎやかなのは苦手でございます」

「それなら良かった。——ではここの板前の自慢の腕を味わうことにいたしましょう……」

お互い、まずは一口、と酒杯のやりとりの後、

「橘屋さん、今夜のお初《はつ》は大変良かった」

と、商人は言った。「主人を思いやる心がよく出ていて、涙が止りませんでした」

「おほめにあずかって、恐縮でございます」

と、橘屋定五郎は言った。「よくお芝居はご覧になるのでございますか」

「江戸へ来ると、まあ、何も見ずに帰るのも残念やし……。しかし、あんたのようないい役者が舞台をつとめるのに出会えたのは、幸運というもの」

二人は料理にはしをつけた。

「——時に、橘屋さん。お初が主人の仇《あだ》を討つところでの刀捌《さば》き、堂に入っておられたが、もしやお武家の出で？」

商人の言葉に、定五郎は手を止め、

「なんのなんの。役者の修業をいたしますれば、あれくらいのことは……」

と、笑って首を振る。

「そんなこともございますまい」

商人は、ふとはしを置くと、座布団の下から素早く匕首《あいくち》を抜いた。白刃が空を切ると、定五郎の体がバッと後ろへ飛びすさり、

「何を！」

と身構える。

「なるほど、立派な身のこなしだ」

ガラリと変った口調で、「機嫌をそこねただろうが、まあ勘弁してくんねえ」

と、匕首を戻す。

「どうも、部屋へ入ったときから、ただごとでない気配はしておりましたが……」

定五郎は元の位置へ戻ると、「そちらもただの商人とは思えませぬな」

口調も役者のものではなくなっていた。

「なに、ただの遊び人でさ。〈甘酒屋次郎吉〉という名で通っております」

「今の匕首の切先にこもった殺気。並の気迫ではありませんでしたぞ。——しかし、なぜ私にそのような……」

「ちょいと妙な縁でしてね」

と、次郎吉は言った。「まあ、食べながら話しましょう」

「私のことをご存じで？」

「和泉定五郎さんとおっしゃる？」

「いかにも。その名をご存じとは――」

「あんたを敵と狙っている侍がいましてね。お心当りがありますかい」

「私を敵と……。では、立花のせがれですか」

「お察しの通り。いや、手前は格別の縁があるというわけじゃありません」

「しかし――もうあれから十年、いや十一年もたっている。あのせがれは確か浩之介といいましたかな。今でも私を捜して？」

「やっと江戸へ辿《たど》り着いた、というわけでさあ」

次郎吉の話に耳を傾けていた定五郎は、

「――そうでしたか」

と、難しい顔で肯いた。「りんまでが十一年も。花も盛りの年ごろなのに、愚かな……」

「そのおりんさんって人の心根が哀れでね。あの主人の方だけのことなら放っとくところなんだが」

「親の仇討……。馬鹿なことだ」

と、定五郎は首を振って言った。「いただきます」

次郎吉が定五郎に酒を注ぐ。

「しかし、定五郎さん、あの二人、いずれあんたのことを捜し当てるかもしれねえ。特に、橘屋定五郎の名で舞台に出ておられるんじゃね」

「確かに」

「手前は、あのお二人に何も話すつもりはありません。だが、もしも仇討を挑まれたら、どうされます？」

定五郎は静かに微笑んで、

「さて……。私もまだ悟りの境地にはおりませんのでな。気の毒だからと討たれてやるほどに親切でもありません」

「まあ、お好きなように」

次郎吉はニヤリと笑って、「人の生き方はさまざまだ。他人が口を出すまでもありませんからね」

「しかし――」

定五郎は、ちょっと眉《まゆ》を寄せて、「十一年も、何も知らずに……」

と、呟《つぶや》くように言った。

「ごちそうになりまして……」

定五郎は女形《おやま》の身のこなしに戻って、次郎吉へ礼を言った。

「いや、お手間を取らせました」

次郎吉は会釈して、「ああ、妹の小袖です」

定五郎は小袖と挨拶《あいさつ》をかわし、迎えの駕籠《かご》に乗って行った。

「――さすがにお侍ね」

と、小袖が見送って言った。

「そう思ったか」

「隙がないわ。相当の使い手だと思う」

「俺もそう見た」

次郎吉は小袖と二人、夜道を帰って行った。

「――小袖。もし、あの立花って侍が定五郎と闘ったとして、勝ち目はあると思うか」

「まず無理でしょうね。十中八九、返り討ちにあうわ」

「やっぱりな」

次郎吉は肯《うなず》いた。

「なまじ見付けたら、闘わないわけにいかないでしょ。でも見付からなかったら、あの二人、一生捜して歩くのかしら」

次郎吉は腕組みをして、

「俺はどうも腑《ふ》に落ちねえんだ」

「いや……。あの立花浩之介さ。津久井《つくい》藩の侍だったと定五郎から聞いた」

「それがどうしたの？」

「少し気になる。――おい、誰かいるぜ」

長屋の入口に心細げに立っているのはりんだった。

「お帰りをお待ちしておりました」

と、りんは次郎吉たちを見て頭を下げた。

――りんは、次郎吉の前に手をついて、

「私を郭《くるわ》へお世話下さいませんでしょうか」

と言った。

「郭へって――身を売るってことかい」

「はい。和泉定五郎を見付けるには、まとまった金子が必要と思い……」

「ご主人から、身を売ってくれと頼まれたのかね？」

「いいえ。私の方からお願いしたのでございます。旦那《だんな》様は思い止《とど》まるようにおっしゃいましたが、私が無理に……」

「しかしね、おりんさん。ああいう場所に一旦《いったん》身を沈めたら、ほとんど二度と出ちゃ来られないんだぜ」

「何が？」

「承知しております」

と、りんは目を伏せる。「でも、旦那様はみごと本懐をとげられた暁には、必ず私を受け出しに来て下さると……」

次郎吉と小袖はちょっと顔を見合せた。

「ね、おりんさん」

小袖が傍らから口を挟む。「もちろん、立花様はそのおつもりでしょうけど、万一、返り討ちにあったら？　あなたを救い出してくれる人は誰もいなくなってしまうのよ」

「それも分っております」

と、目を伏せたまま、「覚悟の上のことです」

「でも――それじゃ、何の意味もなく郭で働くことになるわ」

りんは、さすがに少し声を震わせて、

「そうなりましても、誰も恨みはいたしません。それがこの身のさだめと諦《あきら》めます」

と言った。「ですから――どうかどこかの店にお世話下さいませんでしょうか」

次郎吉は返答に困って、顎《あご》をなでた。

しばらくして、次郎吉は肯くと、

「分った。何とかしよう」

と言った。

「ありがとうございます！」

りんは畳に額がつくほど、深々と頭を下げた。

「しかし、今夜ってわけにゃいかねえ。明日、昼間の内に話を通しとくから、日が暮れたらおいでなせえ」

「はい、必ず」

りんはいそいそと帰って行った。

——小袖は、ちょっと兄をにらんで、

「いいの？　あの人、一生出られないわ、きっと」

「まあ、見てろ」

次郎吉はそう言うと、「ちょいと出かけてくる」

小袖が「どこへ」と訊《き》く間もなく、次郎吉の姿は消えてしまっていた。

裏切り

「では……話がついたのか」

立花浩之介は、りんの話を聞いて起き上った。

「はい」

りんは安宿の、すり切れた畳に正座して答えた。「次郎吉様が明日、お話をして下さると。請け合って下さいました」

「そうか」

浩之介はあぐらをかくと、「――すまん」

と、目を伏せた。

「何をおっしゃいます。りんは旦那様のお役に立つことができれば、どんな苦労もいといませぬ」

「お前の気持は痛いほど分っている。しかし……」

「私のような者でも、何十両かには売れましょう。そのお金で、ぜひ和泉定五郎を見付け、みごと仇討《あだうち》を」

「りん……。決してお前の犠牲を、むだにはせぬぞ」

と、浩之介は言った。

「犠牲などと……。りんはそんなこと、考えておりません」

「しかし、郭へ行けば――いやな客でも相手にせねばならん」

「そのことは……おっしゃらないで下さいませ」

りんは頰を染めた。「旦那様のことを思えば、辛《つら》さも忘れましょう」

浩之介は膝《ひざ》を進めて、

「りん。——俺は辛い。お前が他の男に抱かれるのかと思うと、毎夜眠れまい」

「旦那様……」

浩之介がりんの手を取って、

「いつか……お前とこうなる日が来てほしいと願っていた」

「旦那様——。私は身分卑しい身でございます」

「それが何だ！　お前は十一年もの間、俺について来てくれた。他の誰にそんなことができよう」

「旦那様……」

浩之介に手を引かれると、りんは自然、浩之介の胸に身を預ける形になった。

「りん……。もっと早くこうしたかったぞ」

「ああ、旦那様……。今夜だけ——一夜だけ、りんを妻にして下さいませ」

堤防が切れるように、りんは自分の感情に押し流されて、浩之介に夢中ですがりついて行った。

「では確かに」

三十両の包みが浩之介の前に置かれた。

「次郎吉殿。——色々、お手をわずらわせた」

浩之介は頭を下げた。

「いや、お役に立てりゃ幸いってもんで。おりんさん、じゃ、出かけようか」

「はい」

りんは涙も見せず、「旦那様。長い間お世話になりました」

「りん……。ありがとう」

「どうぞこちらで。お見送りなど、もったいない」

安宿の前に駕籠《かご》が待っていた。

りんが駕籠に乗ると、浩之介も送りに出て来て、

「次郎吉殿。りんのこと、何とぞよろしくお願いいたします」

「へえ、お任せ下さい。——では、これで」

次郎吉は、すでに日の暮れた江戸の町を、駕籠について足早に歩いて行った。

——駕籠は、寂しい道をしばらく行って、

「おい、ここでいい」

と、次郎吉の声で止った。

りんが、駕籠を降りると戸惑い顔で、

「ここは……」

と、周りを見回した。

「大名の下屋敷さ」

駕籠を帰すと、次郎吉は言った。

「郭《くるわ》ではございませんの？」

「まあね。その前にちょっと寄りたい所があって」

次郎吉はそう言って、「ついて来な」

と促した。

「どこへ行くのです？」

「今に分る」

次郎吉が屋敷の木戸を叩《たた》くと、すぐに中から開き、

「これはどうも。先ほどは」

門番が次郎吉に礼を言う。

「こっちだ」

次郎吉は、りんを連れて、庭へと入って行った。

「――あそこは？」

と、りんが訊いた。

一箇所だけ明りが洩《も》れている。人の話し声もしていた。

次郎吉はその棟の外側を回って、

「口をきいちゃいけねえよ、何があっても」

と、小声で言い含めた。

「ここは——賭場《とば》ですね」

「そうだ。黙って」

次郎吉は、光の洩れている穴のそばへしゃがみ込むと、りんを手招きした。

「少し待つんだ」

と、次郎吉は囁《ささや》くような声で言った。

——長くは待たなかった。

次郎吉は、その穴から中を覗《のぞ》くと、りんに中を覗くように合図した。

りんは次郎吉と入れ替って中を覗いた。

「——またおいでですかい」

胴元が顔をしかめる。「昨日も言った通り、これまでの貸しの始末を、ちゃんとつけてもらわないとね」

床に小判の落ちる音がした。

「どうだ。これで足りるだろう」

胴元の前にドッカと座り込んだのは、立花浩之介だった。

「こいつは結構なこって。じゃ、本当に『まとまった金』が入ったんですね」

「武士は嘘をつかん」

と、浩之介は胸を張った。「まだたんと持っているぞ。遊ばせてもらっていいな」

「ええ、もちろんでさ！　おい、立花様をご案内しな！」

「今日は、うんと稼いで帰るぞ」

と、浩之介は立ち上った。

「一度にすっちまわないようにね」

と、からかう声に、ドッと笑い声が上った。

次郎吉は、そっとりんの手を取って、穴の前から離した。

――庭へ下りると、次郎吉は、

「自分の目で見なきゃ、俺が言っても信じなかったろうからね」

と言った。

りんは近くの木にもたれ、

「夜になると、ときどきお出かけになってはいましたが……」

「もう、あの人に仇討はできないよ。可哀そうな人だ」

りんはその場にしゃがみ込んだ。

声を殺して泣くりんを、次郎吉も慰めるすべは知らない。

「——またおいでなせえ」

という声を背に、

「畜生！　来ないでいるもんか！」

浩之介は八つ当り気味に言い捨てて、屋敷の木戸をくぐった。

——もう空が少し白んでいる。

朝の冷気が身にしみて、ブルッと身震いすると、

「立花殿」

と、声がした。

白くただようもやの中に、誰かが立っている。

「誰だ？」

と、浩之介が目を細くして問うと、

「久しいの。貴公がお捜しと聞いたゆえ、こちらから会いに参った」

浩之介は息をのんだ。

「貴様——和泉定五郎か！」

「いかにも。父君の敵だ。さあ、逃げも隠れもせぬ。ここで結着をつけよう」

定五郎が羽織を脱ぎ捨てる。腰の剣に手をかけて、

「いつでもよいぞ」

と構えた。

浩之介は刀を抜いた。

「おのれ！　貴様を捜して――どれだけ苦労したか」

「私は、自分が追われていることなど全く知らなかったのでな」

と、定五郎は穏やかに言った。

浩之介が刀を大上段に振りかぶると、叫び声と共に突っ込んで行った。

定五郎の剣が抜き放たれると、鋭く斜め上へと走って、浩之介の手から刀をはね飛ばしていた。

浩之介は尻《しり》もちをつくと、

「待て！　待ってくれ！」

と叫んだ。「殺さないでくれ！――頼む！」

「浩之介殿。剣の修業は全くなされなかったとみえる。その腕では、何度挑まれても私には勝てまい」

「和泉殿……。お願いだ。仇討《あだうち》は諦《あきら》める。この通り――」

浩之介は懐から書状を取り出すと、「殿よりいただいた仇討赦免状だ」

と、それを引き裂き、

「この通り。――この通りだ。助けてくれ！」

と、地面に手をついた。

定五郎は息をつくと、

「立たれよ。──命乞《いのちご》いをする者を斬るほど、落ちぶれてはおらぬ」

「かたじけない！」

浩之介は立ち上ると、「ではこれで……」

「待たれい。せめて刀を忘れずに持ち帰られよ」

「ああ……。そうだ。そうだった」

浩之介ははね飛ばされた刀を拾って来ると、「では……」

と、立ち去ろうとして──いきなり刀を抜くと、ワーッと定五郎へ向って突っ込んで行った。

定五郎は素早く傍らへ剣をよけた。

前のめりに行き過ぎた浩之介は、もう一度切りつけようと刀を振り上げたが──。

そのままの姿で、浩之介がゆっくりと倒れる。

「──小袖殿か」

と、定五郎が言った。

「役者のあなたに、人を斬らせたくなかったので」

小袖は小太刀を懐紙で拭《ぬぐ》い、「──気の毒ではございますが、いずれ賭博や酒に身を持ち崩し、つまらぬことで命を落としたでしょう」

「おっしゃる通り」

定五郎は、浩之介に向って手を合せた。

「――旦那《だんな》様」

フラリと現われたりんが、浩之介の方へ歩み寄る。

「兄さん……」

「出て来るのを待っていた」

と、次郎吉が言った。

りんは浩之介の傍らにペタッと座ると、

「りんもお連れ下さい」

と、浩之介の腰の小刀を抜いた。

「いけません！」

小袖がりんの手首をつかんで刀を取り上げると、りんは浩之介の上に泣き伏した。

――定五郎は、腰の大小を地面へ投げ捨て、

「りん。久しぶりだな」

と、声をかけた。「死んではならん。こんなつまらぬことで死ぬな」

「和泉様……。ですが、私は郭《くるわ》に身を沈め、生涯出られぬのでございます」

「おりんさん。兄さんがそんなこと、させやしないわよ。あの三十両は兄さんのお金。あなたは故郷へ帰ればいいわ」

と、小袖が言った。

「りん。——もし気が進まぬなら、江戸で暮せばいい。武士の暮しなど、面白くもない」

「和泉様は……」

「私は役者の暮しを楽しんでいる」

定五郎は少し間を置いて、「——いいか、りん。浩之介殿の父君を斬ったのは、私ではない」

「何とおっしゃいます？」

「斬ったのは殿だ」

「——殿が？」

「殿は、浩之介殿の母君に言い寄っておられてな。あの夜、お二人が床に入られているところへ、立花殿が踏み込んで来られた。殿はその場の成り行きで、立花殿を斬ってしまわれたのだ」

「まあ……」

「私はその夜、城中に詰めていて殿に呼ばれ、行ってみると、ご寝所は血の海……。殿はこの騒ぎがご公儀へ知れては、お家の大事と……。私に立花殿を斬った罪を負わせたのだ」

　定五郎は苦々しげに、「私も若かった。仰せの通りにするのが家臣の道と、その夜の内に城下を出て、それきりだ」

「では……殿様が敵……」

「その後、浩之介殿の母君は殿の側室となられ、いいご身分だ。殿も、もうとっくに私のことなど忘れておいでだろう」

　定五郎は、りんに手を貸して立たせると、

「あてもあるまい。一緒に来い。役者仲間の宿がある。そこで、好きなだけ休めばよい」

「いえ……。お気持は……。でも、私は旦那様のお骨なりと、持ち帰らねばなりません」

　りんは頭を下げ、「ご親切は忘れません」

「――そうか」

　定五郎は肯《うなず》いて、「いつでも訪ねて来なさい」

　と、静かに立ち去った。

「後は任せなせえ」

　と、次郎吉が言った。「物盗《ものと》りか、賭《か》けごと絡みの争いかと思われるだろう。自身番へは、俺が届ける。小袖、おりんさんを宿へ」

「ええ。――おりんさん、大事な方を、ごめんなさい」

「いいえ……。私がこの手で刺していたでしょう」

りんは懐剣の柄《つか》に手をかけて言った。

「さあ……」

「はい。次郎吉様。いずれ、お礼はまた……」

「気にしなさんな」

次郎吉は、二人の女の姿が消えると、「ふざけた殿様だぜ。――次はちょいとお邪魔するか」

と呟《つぶや》いた。

――津久井藩江戸屋敷に〈鼠〉が忍び込み、千両余を盗み出して大評判となったのは、その十日ほど後のことである。

鼠、騒ぐ

辻斬り

足音がついて来る。

——少し前から、すがはそれに気付いていた。

しかし振り返るのは怖かった。見ずにすめば、いっそその方が気楽だ。

すがは足を速めた。すると、その足音はぴたりと歩調を合せ、同じ間合でついて来る。

——提灯《ちょうちん》の明りだけが足下を照らす他、闇夜である。

十八の娘が、こんな時間に夜道を急ぐのはいささか無用心だった。

いかに江戸市中とはいえ、物盗りも出る。

本当なら、日暮れまでには帰れるはずだった。

父の遣いで、明日の茶会に使う高価な茶器を借りに行った。

先方に話は通っているはずだったのが、どうした行き違いか、主人は留守。手ぶらで帰るわけにもいかず、待たせてもらったが、主人が帰宅したのはもう暗くなってからのことだった。

父の手紙が、家人の手で止っていたと分り、先方も恐縮してすぐに、由緒ある茶碗《ちゃわん》を出して来てくれた。

それを大事に抱え、帰り道を急いでの途中である。

足音は、もうずいぶん長いことついて来ている。——少しも寄って来ないのが、却《かえ》って無気味だ。

家まで慣れた道で、迷う心配はなかったが、いくら急いでも、距離が縮まるわけではない。

——ふと気が付くと、背後の足音が聞こえなくなっている。

足を止め、耳を澄ましてみたが、何も聞こえない。

すがはホッと息をついて、

「何でもなかったのね」

と、口に出して呟いた。

たまたま同じ道を行く用のある人だったのかもしれない。

気を取り直し、先を急ごうとして、すがは一歩踏み出した。

突然、目の前に誰かが立ちはだかった。

すがは悟った。——足音は消えたのではなく、どこかですがの先回りをして、待っていたのだ。

「——どなたですか」

持ち上げる提灯が細かく揺れる。

心細い明りは、ただぼんやりとした侍らしい立ち姿を浮かび上らせるだけ。

すがは息をのんだ。――提灯の明りを受けて、白刃が光った。

「おやめ下さい……。金子なら、ここにこの通り……」

抱きかかえるように持っていた、茶碗を納めた木箱の包みが落ちるのにも気付かなかった。

刀がスッとすがの方へ切先を向けて、進んで来る。すがは後ずさった。

「お許し下さい……。命ばかりは……」

と言ったつもりが、言葉になっていたか、自分でも分らない。

踏み込んで来る気配を感じた。――殺される！

逃げようにも足がすくんで、動けない。

そのとき、振り下ろされる白刃とはねのける刃《やいば》が火花を飛ばした。

すがの手から提灯が落ちてパッと燃え上った。

その明りの中に、短い刀を構えた町娘が、すがの前に立って、侍らしい相手と相対しているのが見えた。

「お武家様」

と、その娘が言った。「その腕前では、私をお斬りになっても、ご自分も手傷を負いましょう。斬られると痛《いと》うございますよ」

落ちつき払った口調である。

相手は二、三歩後ずさって、素早く刀を納め、そのまま夜の闇へと消え去った。

「もう大丈夫」

娘は小太刀を鞘《さや》へ納めて、「辻斬《つじぎ》りのようね」

すがは立っていられず、その場にへなへなと座り込んでしまった。

「ありがとう……ございました」

「しっかりして。――待ってね」

娘は、燃え尽きようとしているすがの提灯から自分の提灯へ火を移し、「さあ、これでいい」

すがは、やっとの思いで立ち上った。

「どこかに駕籠《かご》でもあればいいけど……」

「いえ……。大丈夫です。歩いて帰れます」

と、すがは気丈に言ったが、ふと気が付いて、「――茶碗！　茶碗が……」

すがは、さっき白刃を突きつけられたときと、ほとんど変らないくらい青ざめたのだった。

「辻斬りだって？」

次郎吉《じろきち》は、昼過ぎてからやっと起き出して欠伸《あくび》をしながら、妹の話を聞いていた。

「ねえ、最近は変なお侍が多いのね」

小袖《こそで》は長屋の住人に頼まれた手紙の代筆をしながら言った。

「夜道は物騒だな」

と次郎吉は言った。

「泥棒も出るしね。〈鼠〉なんていう」

小袖が冷やかす。

「〈鼠〉は人を殺《あや》めたりしねえよ」

と、次郎吉は言い返すと、「その娘、命拾いして、手を合せてたか」

「まあね。でも、辻斬りに出くわしたときに大事に持ってた茶碗を箱ごと落っことしてね」

「茶碗？」

「それが、もう何百年もどこかのお大名に伝わっていたっていう大切な茶碗だったとかでね。娘さん、そっちの方で真青になってたわ」

「壊れたのか」

「らしいわね。怖くて、中を見られないくらいだった」

小袖は手紙を書き上げて、「――これでよし、と」

「誰の文だ？」

「およねさんの。堺《さかい》のお孫さんにあててね」

そのとき、表に、

「ごめん下さいまし」

と、ていねいな口調の男の声。「小袖様のお住いはこちらでございましょうか」

「はい、少々お待ち下さい」

と、小袖は答えておいて、「兄さん、そんな寝起きの顔で座ってないで」

「何だよ、俺はいつもこんな顔だ」

と、次郎吉はむくれた。

「――昨夜は娘のすがが大変お世話になりまして」

いかにも実直な商人である。

「じゃ、あの小間物屋の〈鐘八《かねはち》〉のご主人で」

次郎吉は、少し目が覚めた。

大店《おおだな》の主人という、偉ぶったところはみじんもない。それでいて、端然と正座した姿に一種の風格があった。

「弥兵衛《やへえ》と申します」

と、改まって頭を下げ、「どうぞお見知りおきを」

「それほど大した者じゃございませんがね。しかし、娘さんがご無事で何よりでした」

「本当に、こちらの小袖様がお助け下さらなかったら、今ごろは——すがの弔いを出しているところでございました」

「たまたま通りがかっただけです」

と、小袖は言って、「すがさん、でしたっけ。あの立派な木箱に入った茶碗《ちゃわん》が割れたかと気にしておいでしたが」

「ああ、確かに。長年のお付合で、茶道の先輩に当る方からお借りした大事な品、けれど娘の命には替えられません」

弥兵衛は微笑んで、「昨夜は、すがが無事に戻った嬉《うれ》しさに、家中大騒ぎで、ろくにお礼も申し上げず、失礼いたしました」

「いえ、もう本当に——」

「大変失礼とは存じましたが、心ばかりの品、どうぞお受け取り下さい」

「いけません、こんな……」

小袖は目の前におかれた風呂敷《ふろしき》包みを、弥兵衛の方へ押し返そうとしたが、次郎吉が横から手を伸ばし、素早く手もとへ引き寄せた。

「小袖、こういうものをお返ししちゃ、却って失礼なんだ。ありがたくいただいておけ」

小袖が呆気《あっけ》に取られている間に、次郎吉は弥兵衛に礼を言っている。

「快くお納め下さいまして、ありがとう存じます」

弥兵衛は腰を上げると、「お邪魔をいたしました」

「まあ、お茶の一つも差し上げませんで」

小袖は表へ出て、弥兵衛を送ったが、二、三歩行きかけた弥兵衛は、ふと振り返ると、

「娘のすがは他に兄弟もない身。あなた様のような姉様がいたら、どんなにいいだろうと、ゆうべも申しておりました」

「そうですか。また遊びにいらして下さいとお伝えを」

「ありがとうございます。——小袖様」

「え？」

「何かの折には、どうか、すがをよろしくお願い申します」

小袖が、その言葉を分りかねている間に、弥兵衛は足早に長屋を出て行く。

「——何だか妙だわ」

と、中へ戻って、「兄さん、そのお礼は私のものよ」

「分ってる」

次郎吉は風呂敷包みを開けた。「——金十両也《なり》か。一人娘の命の恩人に出すには、多くもないが少なくもないな」

「何か入ってる」

十両の他に、紙にくるんだものが一つ。

開いてみて、次郎吉と小袖は顔を見合せた。

「これって、あの茶碗のかけらかしら」

と、小袖が手に取った一かけら。

「どうやらそうらしいな」

「でも、どうしてこんな物を……」

次郎吉も、さすがに首をひねるばかりだった……。

手　討

ちょうど道場から帰る小袖を見付けた。

「おい、小袖！」

「あら、兄さん」

小袖は一緒に歩いていた若い娘に、「じゃまたね」と、別れた。

「——今のは？」

「同じ道場の子よ」

次郎吉は呆《あき》れて、

「当節の花嫁修業は剣道かい？」

「夫婦喧嘩《げんか》に負けないようにね」

と、小袖は真面目くさって言うと、「どうしたの、こんな所で？」

「そうだ！　たった今聞いたんだが、この間お前が辻斬《つじぎ》りから助けた娘、いたろ？」

「〈鐘八〉の娘さんね」

「あのとき、うちへ来た店の主人、斬られたそうだ」

小袖も、さすがに絶句した。

――〈鐘八〉の店は固く戸を閉ざし、いく人かの野次馬が店の前で足を止めて、ああでもない、こうでもないと言い合っていた。

「お手討に？」

と、小袖は訊《き》いた。

「例の茶碗だ。新田《にった》藩に代々伝わる家宝だったとかで、それを割ったのは許せぬ、といきり立った藩の侍が、弥兵衛をばっさり……」

「たかが茶碗くらいで！」

小袖は憤然として、「――すがさん、どうしたかしら」

「それだ」

次郎吉の言葉に、小袖は思い当って、

「じゃ、弥兵衛さんが帰りがけに言っていたのは……」

「こういう次第になることを、察していたのかもしれねえな」

と、次郎吉が肯《うなず》いた。「どうする?」

「頼まれたからにゃ、放っておけないわ」

「そう言うと思ったぜ」

次郎吉は小袖を促して、店の裏手へ回ると、くぐり戸を二度叩《たた》いた。

カタカタと下駄の音が庭の敷石に鳴って、すぐにカンヌキを外す音。

「お待ちしておりました」

と、すがが顔を出した。

――位牌《いはい》に手を合せた後、小袖は傍らに控えたすがの方へ向いて、

「あなたのお父様が、あの翌日に私の長屋へ来られて、帰りしな、何かのときはあなたを
よろしくと言い置いて行かれたの」

「父が、でございますか」

「何かを予感されているようだった。――すがさん、あなた、お父様から何か聞いていな
い?」

「いえ、何も……」

すがは途方に暮れたように、

「私のせいで父が討たれたのかと思うと……」

「それは違うぜ、娘さん」

と、次郎吉が言った。

「そうよ。すがさん、あなたのせいじゃない。あなたじゃなくたって、辻斬りにあったら、
茶碗なんか守ってられないわ」

「でも、大事なお品と分っておりましたのに……」

すがは涙をそっと拭《ぬぐ》った。

次郎吉は仏壇へ目をやった。

「これで両親とも亡くしたのかい」

と言った。

「はい。――でも、母は私を産んだときに亡くなりましたので、私は何も憶《おぼ》えておりませ
ん」

「じゃ、その後はずっとお父様とお二人で？」

「はい。……父はいつも、『お前が嫁入りするのを見届けるまでは、何としても死なない
よ』と申しておりましたのが……」

すがの頬を、涙がこぼれ落ちる。

「——ちょっと訊いていいかね」

と、次郎吉は言った。

「何でございましょう」

「あの茶碗《ちゃわん》だが、ここへ持って帰って、開けてみたら壊れていたのかい？」

「はい。——でも、私は見ていないのでございます」

「どういうことなの？」

「帰り着いて、もう気が抜けたようになって座っていたのです。そこに父が来まして、『あの茶碗だが——』と言いましたので、初めて思い当り、取り落として壊したかもしれない、と申しました」

「それで？」

「父は、少しもあわてた様子を見せず、『お前の命の方が大切だ。気にするな』と申しまして、包みごと奥へ持って入りました」

すがは少し思い出す間を取るように、「——少しして戻って参りましたので、『どうだった？』と訊くと、『やはり壊れていたよ』と、こともなげに……」

「そうか」

次郎吉は、ちょっと顎《あご》をなでた。

「兄さん、何か気になるの？」

「ああ。そもそも、それほど大事な茶碗なら、どうして人に貸したりしたのか」

「それはそうね」

小袖は肯いて、「すがさん、あなたはあの茶碗を新田藩の方から借りて来たの？」

「いいえ。お茶の先生で、父が親しくさせていただいていた、良安《りょうあん》様からです」

すがの言葉に、次郎吉は何やら考え込んでいる。

「私のことでしたら」

すがは健気《けなげ》に立ち直り、「まだ店の者もいてくれますし、ご心配には……」

「じゃあ、何かあったらいつでも訪ねて来てね」

と言いおいて、小袖も〈鐘八〉の店を出たのだったが――。


「何か気になってるのね」

と、帰り道、小袖が言った。

「ああ」

次郎吉が腕組みをして、「あの、すがって娘が辻斬りにあったときのことだが……」

「なに？」

「ずっと足音がついて来たと言ったんだな？」

「すがさん、そう話してたわ」

「妙だと思わないか」

「妙って？」

「辻斬りってのは、相手が誰でも構わないもんだ。だから、場所を選ぶ。分るか」

「ええ。人気のない、暗い所ね」

「それじゃ、通りかかる者を待つのに、時間のむだだ。多少人は行き来して、明りもないと、却《かえ》って獲物に逃げられる」

「兄さん、辻斬りにも詳しいの？」

「冷やかすな。――ともかく、一人の娘をずっと尾《つ》けて斬る、というのは、普通の辻斬りじゃないぜ」

「それじゃ、あのときのお侍は、もともとすがさんを狙ってたの？」

「それとも――茶碗をな」

と、次郎吉は言った。


その夜、白壁の屋敷へと、静かに身を潜入させる人影があった。

――次郎吉は、新田藩の江戸屋敷にお邪魔しているのだった。

どうも腑《ふ》に落ちない。

侍だからといって、町人を自由に斬って捨てることは許されない。

いや、むしろ帯刀を許されている者には、それだけの責任が生じる。

町人を一人斬れば、それは「命がけ」の行為なのである。

――田上三郎《たがみさぶろう》といった。

〈鐘八〉の弥兵衛を斬った、新田藩の侍である。

なぜ、田上三郎が斬ることになったのか。納得の行く説明はない。

――次郎吉は、渡り廊下から屋敷の奥へと忍んで行った。

大して景気のいい藩じゃなさそうだ。

長いこと、この稼業をやっていると、「狙い甲斐《がい》のある」屋敷かどうか、気配で分る。

次郎吉は足を止めた。

中庭の隅で、忍び泣いている女中がいる。

見ればずいぶん若いが、その涙は誰のためか。

「――美雪《みゆき》殿」

と、呼びかける声に、娘はハッと涙を袖《そで》で拭った。

「失礼いたしました」

「いいのですよ」

年輩の女性が、穏やかに、「泣きたいときは泣くのがよい」

「私はただ……」

「田上様のことですね」

次郎吉は耳を澄ました。

「――はい」

美雪という娘は目を伏せて、「あの方はどうなるのでしょう」

「まだお沙汰《さた》はないようですが……。無事にすむとは思えぬ」

「では――切腹でしょうか」

美雪の声が震える。

「私には何とも……」

「理不尽です！」

美雪が、抑えていたものを奔《はし》らせるように言った。

「これ、美雪殿」

「田上様は、あの茶碗のことなど何もご存じない。それなのに、なぜあの商人を斬ったのですか」

「それは……私にも分らぬ」

「今、田上様はどこに？」

「はっきりとは分りませんが、おそらく土蔵の中でしょう」

「罪人のように！　あの方が……」

と美雪という娘はすすり泣いた。

——土蔵か。

次郎吉にとっては、「なじみやすい」場所である。

二人の女が姿を消すと、次郎吉は土蔵を捜すことにした。

土蔵はすぐに見付かった。

大きな錠が戸にかけられている。むろん次郎吉にとっては錠がないも同然。

しかしすぐには手を出さず、中の様子をうかがうと、人の気配がある。

おそらく、田上三郎が幽閉されているのだ。

さて、どうしたものか……。

——幸い、「答え」の方がやって来てくれた。

さっき泣いていた美雪という娘である。

砂利を踏む足音も、思い詰めた気迫に満ちていた。

なるほど。——次郎吉は、美雪が土蔵の錠前を、持って来た鍵《かぎ》で開けるのを見ていた。

鍵を盗んで来たのだ。

恋は人を大胆にする。

しかし、娘の手には鍵を差し込んで回すだけでも大仕事のようで、それでも何とかやりとげると、戸をガラッと開けた。

「田上様！——田上様」

押し殺した声で呼ぶ。

「誰だ？」

中から声がした。

「私です」

「——美雪殿か」

「早くお逃げ下さい！　このままでは、明日にもご切腹と伺いました」

「そなた……。鍵を持ち出して来たのか」

「はい。——ここはお任せを。人が来ては大変。早くお出になって下さいませ」

美雪は土蔵の中へ入って、小さな灯の下、正座して動かない若侍を促した。

「こんなことをすれば、美雪殿がお咎《とが》めを受けよう」

「私など、どうなってもようございます。田上様をこのまま死なせたくありません」

美雪はすがるように田上の膝《ひざ》へ手をかけた。

まだ二十歳になるかどうかという若侍は、目を伏せると、

「かたじけない」

と、両手を膝に置き、「美雪殿の気持は嬉《うれ》しいが、私も武士。死を恐れて逃げたとあっては、名誉に係《かかわ》る。それも、美雪殿一人を身替りになど、とんでもない」

美雪は力が抜けたように、その場に座り込んでしまった。

「田上様……」

「泣かないでくれ。——私は人を斬ったのだ。その責めは負わねばならん」

美雪は床に手をつき、頭《こうべ》を垂れて唇をかみしめていたが、やがて心を決めたように顔を上げると、

「私もお供いたします」

と言った。

「何と言われる?」

「私を殺して下さいませ。あなたの手にかかるなら本望」

「とんでもないことを!」

田上も、さすがに動揺したのか、立ち上って、「美雪殿は、これからいくらも良き縁談もあろう。いい人と巡り合って、幸せにならねば」

美雪に背を向けているのが、田上の心中を思わせた。

「田上様」

美雪の声は震えていた。「本気でそうおっしゃるのですか」

「責めないでくれ! 死なねばならぬ身で、他にどう言えと……」

「いいえ!」

美雪は田上の腰にしっかりと抱きついて、「いいえ！　美雪は許しませぬ！　あなたをお恨み申して死にます」

「美雪殿──」

「共にいつまでも、とおっしゃった、あのときのお言葉は偽りでございますか」

「違う！　私が思うのは、そなた一人」

二人がひしと抱き合う。

──次郎吉としては、立ち聞きするのも少々照れる。

「美雪殿……一緒に死ぬか」

「はい」

ためらいもなく答える。

「相対死にはご法度なれば、表向きは病死とされよう」

「死んだ後のことなど、どうでもようございます。刺し違えて共に死ねれば、それで充分……」

「そうか。──そうだな」

心を決めたのか、二人の声が穏やかになる。

「田上様……。戸を閉めましょう」

「誰か来たら怪しもう。しかし──よく鍵を盗み出せたな」

「女は、いざとなれば強いのです」

美雪の声には笑いさえ含んでいる。

「全くだ」

田上も笑って、「正直に言うと、死ぬのが怖くてたまらなかった。だが、そなたと一緒なら喜んで死ねる」

「ああ……」

美雪の吐息が小さな灯を揺らして、「田上様……もう一度」

「美雪……」

次郎吉もいささかあわてた。そこまでのんびりと立ち聞きしていたくはない。

「待ちな」

と、野暮は承知で邪魔に入る。

「——何者だ！」

田上がハッと身構える。

「人間、その内いやでも死ぬんだ。急ぐこたあないぜ」

「盗人か」

「まあ、そんなところだ。しかし、今騒ぐとうまくねえだろう。そこのお女中も巻き添えを食う」

少し間があって、

「何が望みだ」

「泥棒の望みってのは、たいてい決ってるがね。しかし、今日は別だ。――なあ、田上さんとやら。その若さで切腹も気がのるめえ。どうだい、一つあんたの命が助かるようにしてやろうじゃないか」

「何を言う」

「その代り、こっちはあんたに一つ訊《き》きたいことがある」

と、次郎吉は言った。

――ややあって、

「出会え！――出会え！　賊が忍び込みましたぞ！」

と、甲高い叫び声が、新田藩江戸屋敷の中に響き渡った。

からくり

「瓦版《かわらばん》は大騒ぎよ」

と、小袖が帰って来て言った。「〈鼠〉が何も盗《と》らずに、尻尾《しっぽ》を巻いて逃げ出したって」

畳に引っくり返って、うたた寝していた次郎吉は、大欠伸《おおあくび》をして、

「言わせとけ。それが狙いだ」

「お兄さんを見付けたってことになってるお侍、どうなったの？」

「田上三郎って若侍だ。まあ、まだ小僧だな、中身の方は。もっとも、女の方は一人前らしいが」

「妬《や》かないの」

「誰が妬くもんか。——さっき、屋敷に出入りの商人が話してたよ。あの田上って侍、切腹はまぬがれたそうだ」

「あら、良かったわね」

「〈鼠〉に気付いて、みごと追い払い、藩の金を守った功により、〈鐘八〉弥兵衛を斬った罪は帳消しだそうだ」

「それもしゃくね」

「いや、本当に斬ったのはあの田上じゃねえだろう」

「じゃあ誰が？」

「二十歳になるやならずの若侍が、辻斬《つじぎ》りなんぞするか？」

「すがさんを斬ろうとした侍のこと？　あの侍の呼吸の乱れは、若い人じゃなかったわ」

と、小袖は言った。

「そうだろうさ。まあ見てろ」

「何か目当てが？」

「いずれな。——なあ、笑っちまうじゃねえか。新田藩の殿様が、『わが藩も〈鼠〉が狙うようになりまして』と他の藩の江戸屋敷に自慢して歩いてるそうだぜ」

小袖が大笑いした。

「お兄さん、狙っても仕方ない貧乏な藩だって……」

「そうなんだ。土蔵の中ったって、ほとんど空っぽだ。ああも懐具合の悪い大名なんぞ、狙ったって面白くもねえ」

「ああ、それで殿様がよそへ自慢してる、ってわけね？　お兄さんも大したものね。その内、江戸屋敷の裏口にでも、〈鼠様、お待ち申しております〉って貼紙でも出るかもしれない」

「そうなりゃ話の種だな。——ともかく、こっちは例の茶碗《ちゃわん》の一件だ。本当のところはどうだったのか、探り出してみせる」

「すがさんのため？」

「いや、てめえのためさ」

と、次郎吉は立ち上って、「そろそろ暗くなったかい？　出かけるとするか」

「まだ、盗みに入るには早くない？」

「人聞きの悪いことを言うな。俺は人助けに行くんだ」

次郎吉は真顔で言って、「見物がてらな」

「何を見物するの？　両国《りょうごく》の花火って季節でもないし」

「もうちっと物騒な見世物さ」

「何なの？」

「辻斬りだ」

と、次郎吉は言った。

暗がりにタタッと駆けて来る足音。

その人影は、足を止めると片膝《かたひざ》をつき、

「ただいま一人、こちらへ」

と言った。

「来たか」

床机から立ち上ったのは頭巾《ずきん》をつけた侍で、「男か女か」

「職人風の男でございます」

「間違いあるまいな。万一、他藩の武士でも傷つけたら大事だぞ」

「ご心配には及びません」

「よし」

その侍の左右に、刀の柄《つか》へ手をかけて、二人の男が立っている。

「明りを」

「は」

提灯《ちょうちん》の明りが揺れる。

トットットと、軽やかな足どりで近付いて来る男。——大工か鳶《とび》か。

つと提灯が男の行手を遮る。

「ご用でございますか」

「用があるゆえ止めた」

「とおっしゃいますと？」

「通りかかったのが不運と思え」

侍は、頭巾の下からくぐもった声で言うと、素早く刀を抜き放ち、相手の男へ斬りかかった。

だが——白刃は空を切っていた。

男の姿は煙のように消え失《う》せた。

「——奴、どこへ行った」

「確かにこの辺りに立っておりましたが……」

戸惑い、周りを見回す武士たち。

「刀の錆《さび》はご免だぜ」

と、声がした。

「どこだ！」

「さあ、どこかな。真暗な中で、鬼ごっこでもするかい？」

「おのれ、何者だ！」

白刃は暗闇へと斬り込んだが、その都度別の方から笑い声が聞こえるばかりだった。

「――殿、今夜はお帰りになられました方が」

といさめる声に、

「つまらん！」

と腹立たしげに刀を納め、「帰るぞ！」

ついて来た侍たちがホッと安堵《あんど》の息をついた。

侍たちが姿を消すと、静かに姿を現わした次郎吉は、

「聞いていなすったかい？」

と、問いかけた。

「――はい」

息を殺していた美雪が、見えない縄のとけたように、「ただいまのが……」

「辻斬りなんて、悪い趣味だ」

と、次郎吉は言った。「――声に聞き憶《おぼ》えは？」

少しためらう間があって、

「確かに。――お殿様のお声でございます」

「そうか」

「付き添っていた方々も、新田藩の方ばかり……」

「困ったもんだ。主君のためを思うなら、命をかけてもいさめなきゃならねえ。それが一緒になって人斬りごっこじゃな」

「どういたせばよろしいのでしょう」

と、美雪は途方に暮れている。

「あんたがどうすることもできまい。後はこっちへ任しな」

「ですが……。田上様はこのことをご存じなのでしょうか」

美雪は、返事がないので、「もし、あの……」

と、周囲を見渡した。

もう、次郎吉の姿は消えていた。

駕籠《かご》に揺られている内、酔いも手伝ってつい居眠りしていたが、ふと気が付くと駕籠は止っている。

「おい、駕籠屋さん。もう着いたのかね？——おい」

良安は呼んでみたものの、外では何の返答もなく、

「はて……」

と、外を覗《のぞ》いてみると、人気のない、いやに寂しい場所。

どうしたんだ？——良安は駕籠から出て、暗がりの中、周囲の様子もよく分らないまま、

「おい、どこへ行った！——仕方ないな、全く」

と眉《まゆ》をひそめた。

砂利を踏む音。——良安は不安になって、

「誰だ？」

と、駕籠にさげてあった提灯を取り、かざして見た。

「以前にお目にかかりましたわね」

女の声が背後から、「あのときも、こんな具合に暗うございましたが」

「何だと？　誰だ？」

「もっともあの夜は、良安さん、お武家のいでたちでいらした」

「お前は……」

「辻斬《つじぎ》りが通人の趣味では、無粋というもの」

「おのれ！」

良安は杖《つえ》を手に取った。素早く抜き放つ仕込みの刀。

「以前はお武家でいらした。ですが、もう腕は大分鈍っておられますね」

「あのとき邪魔をした女だな」

良安は刀を構えた。

「斬られると痛《いと》うございますよ」

小袖は素早く良安の背後へ回った。良安の刀がそれを追うと、待ち受けていた小袖の小太刀が鋭く交わって、バシッという音を立てた。

良安は駕籠にもたれて、息をのんだ。手にした刀は真二つに折れていた。

「良安さん」

「やめてくれ」

小太刀が良安の帯をシュッと斬ると、ハラリと前が開く。

真青になった良安は、刀を投げ捨てると、「金ならいくらでもやる！」

「情ないことを」

小袖は小太刀の切先を良安の喉《のど》へ突きつけた。「一つ伺いたいことが」

「な、何のことだ……」

「新田藩の茶碗《ちゃわん》のことです」

「それは――」

「知らないとは言わせませんよ」

と、小袖は厳しく、「すがさんが持ち帰ったとき、もう茶碗は壊れていたのでしょう」

良安は冷汗をかきながら、

「やめてくれ！　あれは私が壊したのではない！」

と、震える声で言った。

「では誰が？」

「それは……」

と、良安が口ごもると、小袖の小太刀が良安の髷《まげ》をスパッと斬り落とした。

良安が悲鳴を上げる。

「次は片方の耳、斬り落としますよ」

「やめてくれ！」

「お話しいただきましょう」

良安はへなへなとその場に座り込んでしまった……。

季節外れ

離れに通されて、田上三郎と美雪は、もう半時も待っていた。

「これでいいのだろうか」

と、田上はためらいがちに、「相手は盗賊。いくら命の恩人とはいえ、武士としてはあるまじきことでは……」

「田上様。お気持は分りますが、美雪はそうは思いませぬ」

「しかし――」

「罪もない田上様を切腹させてすまそうとなされたご重役の方々こそ、卑怯《ひきよう》というもの」

「美雪殿。しかし、侍というのは、そういうものなのだ」

そこへ障子の外から、

「そいつは考え違いってもんですぜ」

と、声がした。「開けちゃなりませんよ」

「――〈鼠〉か」

「誰でもよろしいでしょう。田上さん。お家のためを思うなら、殿様の代りに腹を切ったりしちゃならねえ」

田上は傍らの刀をつかんだ。

「ああいうことは、くせになるもんだ。戦さと縁のねえ世の中、生きた人間を斬ることに味をしめた殿様は、また殺生をくり返しますぜ」

「だが、弥兵衛は――」

「新田藩の家宝の茶碗を壊した、と？　そうじゃねえ。茶碗はもうとっくに壊れてたんですよ」

「何と？」

「誰がやったかは知らねえが、殿様はそれを弥兵衛のせいにして、手討にしなすった。その仲立ちを頼まれたのが良安だ」

「あの茶道の師匠か」

「元は武士。辻斬りのふりをして、茶碗を持ち帰る弥兵衛の娘を襲ったんですよ。まあ、そのことはともかく、弥兵衛を斬った殿様は、また罪もない町人を斬ろうと、本当の辻斬りを始めておいでだ。ことがご公儀に知れればただじゃすまねえ。新田藩はお取り潰《つぶ》しになるでしょう」

「まさか！」

「あんたも侍だ。外様《とざま》大名など、もっとささいな口実で、いくらも取り潰されているのはご存じだろう」

田上は詰った。

「お取り潰しとなれば、ご家来衆はみんな浪人暮しだ。そんなことにはさせたくねえでしょう」

「殿が……辻斬りと？」

「いいですか。もし弥兵衛さんを斬ったことで、お調べがあったら、ありのままを話すことだ。それがお家のためなんですぜ」

田上は刀を抜き放った。

「田上様！」

美雪の声も聞かず、田上の刀は障子を貫いた。

田上がガラッと障子を開けると――もうそこには〈鼠〉の姿はなかった。


「ここに間違いないな」

「はい、確かに」

土手の道は川面《かわも》を渡る夜風で冷えた。

「良安め、遅れて来るとは……」

「駕籠《かご》でございます」

「良安らしいな」

頭巾《ずきん》をかぶった「殿様」の手は、刀の柄《つか》にかかっている。「いい機会だ。今夜の獲物は決ったぞ」

駕籠を降り立った良安は、

「お待たせいたしまして……」

と、進み出た。

「良安、何ごとだ。こんな河原に呼び出すとは」

「は？　いえ——お殿様からのお呼出しで参ったのでございますが」

「何と申す」

けげんそうに、「そのかぶりものは何だ」

「いえ、何でもございません」

と良安はあわてて言った。

「まあ、いずれ会いたいと思っていた」

「殿様、私は上方へ参ろうと存じます」

「なに、上方へ？」

「はい。今夜はそのご挨拶《あいさつ》にと」

「いとまごいにか」

「さようでございます」

「それは奇遇だな。わしもそなたに、いとまごいをするつもりで参った」

白刃が光った。

良安は肩先を斬られたが、転がるようにして逃れ、

「何をなさいます！」

「知れたことだ。貴様を斬る」

「それはあまりと申せば——。人殺し！」

良安が地に這《は》った。

「誰も来るものか。こんな河原に」

そのとき——突然広い夜空一杯に花火が開いたのだ。

続いて、ドスンと足下を揺がすような音。

「何だ？」

「花火が。——こんな時季に花火など上るはずはございません」

しかし、花火は続けて二発、三発と夜空に花開いた。

「——人声が」

と、家来の一人が言った。

「花火だ！」

「本当に上ったぜ！」

ガヤガヤと声がして、今まで人気のなかった河原に次々に町人たちが現われて来た。

「殿！　人目が——」

その間に、良安は傷口を押えて、

「助けてくれ！　人殺しだ！」

と、人々の中へと駆け込んで行った。

「人殺しだ！」

「辻斬《つじぎ》りだぞ！」

と声が上る。

呆然《ぼうぜん》と立ちすくんだ「殿様」とそのお付きの侍たちを、野次馬が取り囲んだ。

花火はさらに夜空を染めた。


「ありがとうございました」

すがが深々と頭を下げた。「これで父も成仏できましょう」

「いや、ともかく旦那《だんな》を斬った者が分って良かった」

と、次郎吉は言った。

「新田藩の方が、昨日お詫《わ》びにみえられました」

「そうか」

「私も、当座は番頭の力を借りて、店を守って参りたいと存じます」

〈鐘八〉の奥座敷、すがは急に大人になったように見えた。

「お父様もお喜びでしょう」

と、小袖が微笑んだ。「これをお返ししようと思って」

懐紙に包んだものを置いて開くと、

「――これはあの茶碗《ちゃわん》のかけらでは？」

と、すがは言った。

「弥兵衛さんがお持ちになったものよ」

「父が……」

「これは壊れた茶碗のかけらに混じっていたもの。色合は似ていたようだけど、陶芸に詳しい人に見せたら、安物のかけらだと」

「まあ」

「お父様は、これを見付けて、茶碗が前から壊れていたと察したのね」

「そうでしたか……」

そのかけらをてのひらにのせ、すがははらはらと涙を落とした。

――帰り道、小袖が言った。

「ずいぶんお金がかかったでしょ」

「花火のことか？　なに、気心の知れた仲だ。そこそこの金でやってくれたよ」

新田藩は取り潰しをまぬがれたが、当主は隠居、弟が後を継ぐことになった。

「お金にならない人助けだったわね」

と小袖が言った。

「そうでもないぜ」

「でも、新田藩は――」

「あんな金のねえ所はごめんだ」

「じゃ、どうして？」

「良安の家の蔵から、値打物の茶碗をいくつか失敬した。どうせ奴はもう使わねえんだしな」

「呆《あき》れた。値打が分るの？」

「馬鹿にしたもんじゃないぜ。闇で売りゃ、何百両かになる」

「転んでも、只《ただ》じゃ起きないのね」

と、小袖は笑った。

「商売人はこうでなくっちゃな」

次郎吉はそう言って、「ちょっと寄り道して行くぜ。今夜は帰らねえかもしれねえ」

と、足早に行ってしまった。

「もてもしないのに、見栄《みえ》はって」

と苦笑して、小袖は先を急いだのだった……。

鼠、落ちる

訴　状

「次郎吉《じろきち》さん」

その飯屋の亭主は、奥の座敷へ上って来ると、小声で言った。「ちょっと知恵を貸してくれないかね」

「俺にどうしろと？」

通称〈甘酒屋の次郎吉〉は、昼に軽くお茶漬をかっこんでいるところだった。

「今、妙な客が来てるんだよ。どう見ても普通じゃねえ」

「江戸も、近ごろは物騒だからね」

と、次郎吉は言った。「押込み強盗の類《たぐい》なら、自身番へひとっ走り届けるんだね」

「そんなんじゃないんで」

と、亭主は首を振って、「まあ、ちょっと覗《のぞ》いて見ておくれ」

次郎吉は、顔なじみの亭主に頼まれればいやとも言えず、少し開いた障子の隙間から店を覗き見た。

「奥の客だよ。四人連れの」

言われるまでもなく、次郎吉も目をとめた。

男ばかり四人、それも借物としか見えない羽織を着ている。

「ありゃ百姓だな」

と、次郎吉は言った。

日に焼けている具合といい、節くれだった手といい、農作業でそうなったとしか思えない。

その四人が、互いに酒を注いで飲んでいるのだ。

「飯は？」

「何も。酒だけさ」

次郎吉から見える二人は、割合に若い。まだ三十には届くまい。後ろ姿の二人はやや老けているが、それでも四十と少しか。

「――どう思うね」

と、亭主が訊《き》く。

「ああ、ただごとじゃないね。目が血走ってるぜ。それに顔も血の気がひいて、こわばって。――まるで死人の顔だ」

「何をしようっていうのかね」

次郎吉は少し考え込んでいたが、

「——なるほど。大方の見当はついた」

「分ったかね」

「まあ、あんたが心配することたあないよ。ありゃ、至ってまっとうな百姓衆だ。ここで騒ぎを起しゃしない」

次郎吉の言葉に、亭主はホッと胸をなでおろし、

「次郎吉さんにそう言ってもらえると、安心だよ。その茶漬はおごりだ」

「そいつはすまねえな」

次郎吉はニヤリと笑った。


四人の男たちは、黙々と徳利《とっくり》二本の酒を互いに差しつ差されつして飲んでいたが、やがて、

「行くかね」

と、一人がボソッと言った。

「うん。遅れちゃいけねえ」

四人は立ち上って、年長の一人が、

「ここへ置きますよ」

と、亭主へ声をかける。

次郎吉は、奥から出て来て、

「また来るぜ」

と、ひと声かけて、「ごめんよ」

羽織袴《はかま》の四人を割るようにして、一足先に店を出る。

「——江戸の人はせっかちだの」

と、一人が笑った。

四人が店を出る。

一人が鼻をうごめかし、

「雨の匂いだ」

と言った。「すぐにゃ降らねえだろう」

「いくら降ったっていいさ」

と、若い一人が言った。「降り出すころにゃ、俺たちの誰も生きちゃいねえ」

四人は、互いに顔を見合せると、やがて一塊になって歩き出した。

——やがて四人は、立派な枝ぶりの松の木の所へ来ると、

「ここがいい。行列もよく見えるし」

「身を隠しておくのにも、この松の木はおあつらえだ」

四人が少し黙ったが、

「喜作《きさく》さん」

と、若い者が一番年長の男へ言った。「考え直してくれ。あんたが一番手で行くのは、やっぱりうまくねえよ」

「その話は、ゆうべ済んでるぜ、民吉《たみきち》」

「いや、待ってくれ。この中で一番若いのはこの俺だ。足も一番速《はえ》え」

と、民吉と呼ばれた男は言った。「行列まで行き着く前に、たいがいは斬られるって話だが、少しでも足が速けりゃ……」

「少しくらい、速くても遅くても、違いはないだろうぜ」

と、喜作は首を振って、「もし、万が一、一人でも命の助かる者がありゃ、運がいいってものだ」

「だから、少しでも足の速え俺が行けば――」

「いや、年の順に行けば、もしかすると民吉、お前が生き残るかもしれねえ」

「よしてくれ！　みんなを死なせて、俺一人のこのこ村へ帰れるかよ」

「だが民吉、お前はつい先日、嫁をもらったばかりでねえか。命を粗末にしちゃならねえ」

「――さあさあ」

民吉は目を伏せた。

と、他の一人が、喜作と民吉の肩を叩《たた》いて、「いずれにしろ、みんな覚悟は決めたんだ。ゆうべ話し合って決めた通り、年の順に行こう。なあ、彦三《ひこざ》」

「うん。それがいい」

四人の中ではコロッと太った一人が肯《うなず》いて、「米造《よねぞう》の言う通りだよ、民吉。ま、俺は足が遅いでな。間違いなく斬られるぜ」

と、のんびり言って笑った。

「ともかく、ここまで来たんだ。精一杯やろう」

と、年長の喜作が言った。「村の人たちの命がかかってる」

そのとき、民吉がハッとして、

「行列だ!」

四人はあわてて松の木のかげへ身をくっつけ合った。

長い白壁の道を、角を曲って現われた行列。――侍たちが駕籠《かご》の前後にそれぞれ十人。

黒塗りの駕籠は重々しく、静かに進んで来る。

「――あれに間違いねえだろうな」

彦三の声は震えている。

「確かだ。ちゃんと時も聞いた通りだ」

と、米造が言った。

「よし」

喜作は他の三人を見渡して、「打合せの通り、まず俺が飛び出す。お侍方が俺の方へ集まるのを待って、三人でワッと出る。ただし、いっぺんにといっても、出て行くのは年の順に、米造、彦三、民吉の順だぞ」

青ざめた顔で三人が肯く。

「よし。みんなそれぞれ訴状をしっかり持てよ」

喜作は懐へ手を入れたが——。「おかしいぞ。——ない！」

「え？」

「懐に入れた訴状がない！」

喜作はあわてて、羽織の袖《そで》や袴の下まで捜し回った。「——どうしちまったんだ？　しっかり入れといたのに」

彦三が懐へ手を入れ、

「あれ？　俺もなくなってら」

「何だと？　二人とも、どうしちまったんだ。俺はちゃんとここに——」

米造が懐へ手を入れて、呆然《ぼうぜん》とする。

「民吉はどうだ？」

「俺は……あった！」

民吉は懐から訴状を取り出して、「だけど、どうしてみんなの分がなくなっちまったんだ？」

「わけが分らねえ。——ともかく行列が来る！」

「仕方ねえ。この一通で、俺が斬られたら、訴状を拾って次が走れ」

と、民吉が言った。

「民吉、俺に貸せ」

と、喜作が言った。「俺が行く」

「いや、これは俺の訴状だ」

と、民吉は拒んだ。

「民吉、それ、別のことが書いてねえか？」

と、彦三が言った。

「え？」

表書きを見て、唖然《あぜん》とする。「これ——何て書いてあるんだ？」

「見せな」

と、喜作が手に取って目を丸くする。「こりゃ……〈無駄死無用〉とある」

呆気《あっけ》に取られる四人の隠れている松の木の前を、駕籠が静かに通り過ぎて行った……。

四人が、力ない足どりで宿へ戻って来ると、

「お帰りなさいませ！」

と、頰の真赤な若い女中が、たすきをしたまま飛び出して来た。

「ああ……」

「お早いお帰りですね。どこを見物されてたんですか？」

訊《き》かれても、誰も答えられない。

「ちょっと疲れたんでな……」

と、米造が言った。「部屋で休む」

「お茶をお持ちします」

「ありがとうよ」

二階へ重い足を引張り上げるようにして上って行く四人を、その若い女中は見送っていたが……。

しんがりで上って行く彦三の羽織の裾《すそ》を引張る。びっくりした彦三が振り向いて、他の三人を見ながら、階段を下りて来た。

「何だよ」

女中は目を大きく見開いて、じっと彦三を見つめていたが、やがてその目から見る見る大粒の涙が溢《あふ》れて赤い頰を伝い落ちた。

そして、いきなり彦三の腕を取ると、廊下の奥へと引張って行き、

「良かった！　生きててくれて！」

と、彦三にしっかり抱きついたのである。

「おい……。何だよ、一体」

「だって、死ぬ気だったでしょ、あんたたち？」

「お種《たね》……。どうしてそんなことが分るんだ？」

「分るわよ！　出かけてく、あんたたちの顔見たら」

と、お種という女中は涙を拭《ぬぐ》った。

「そんな顔してたか……」

彦三は頭をかいた。

「誰が見たって、普通じゃなかったわよ」

「まあ……色々わけがあってな。仕方ねえんだ」

と、彦三は言った。

「私だって、百姓の娘よ。あんたたちの気持は分る。でも、死んじゃだめ！　死んじまったらおしまいよ」

お種は、彦三の胸にしっかりとしがみついて、「昨日会ったばっかりで、こんなこと言うの、おかしいけど。私、あんたに惚《ほ》れてるんだ」

「お種……。ありがとう」

彦三は涙ぐんで、「でもな、これは村中で話し合って決めたことだ。俺一人が抜けるってわけにゃいかねえんだよ」

お種は、近くに人の気配がないか、用心して見回してから、

「直訴――するんだね」

「うん……」

「うまくいきっこない！　みんな、行列に近付かない内に斬られちまうわ」

「でもな、このまま何もしなくても、村は餓《う》えて首くくるしかねえ。だめでもともとさ」

「そんなにひどいの？」

「ああ。――いけね。こんなことしちゃいられねえんだ」

「彦三さん。今日はしくじったの？」

「それが――訴状が懐から消えちまったんだ」

「え？」

お種は目を丸くした。

「じゃ、あのとき突き当った男が？」

と民吉が目を見開いて、「だけど、俺には触りもしなかったぜ」

「ああ。分ってる」

と、喜作が腕組みして、「しかし、他に考えられねえだろう」

「そりゃ、江戸にはスリが多いから、用心しろとは言われたが……」

と、米造が唸《うな》った。

「たったあれだけの間に、俺たち四人の懐から訴状をすって、代りに俺の懐にあの手紙を入れたってのか」

民吉が呆気に取られて、「人間業じゃねえよ！」

「俺だって信じられねえさ」

と、喜作が苦笑いして、「だが、そうとしか思えねえ」

「――驚いたな」

と、民吉が首を振って、「だけど、ただのスリじゃねえな。あんなもの、一文にもならねえ」

「そうだ。しかも〈無駄死無用〉の表書き。何もかも分ってやってるんだ」

米造がため息をついて、

「江戸にゃ、変った奴がいるな」

と言った。

民吉が、ふと気付いて、

「彦三の奴、どこへ行っちまったんだ？」

と言った。

刺　客

喜作は、夜中に目を覚ました。

少し飲み過ぎたのか。――喉《のど》がかわいて、水が欲しい。

暗い部屋には高いびきが聞こえている。

米造だな。あいつのいびきは、正直、気にしだすと眠れなくなる。

しかし、まあ仕方あるまい。

喜作はそっと障子を開けて廊下へ出た。

暗がりの中、こわごわ階段を下りる。

――つい、酒が過ぎてしまったのは、やはり「死にそこなった」という苦い思いを忘れるためか。

そして同時に、「生きている」ことのすばらしさをかみしめる酒でもあった。

しかし、今さら四人揃って村へ帰るわけにはいかないのだ。

「困った……」

台所へ手探り同然で辿《たど》り着いた喜作は、かめの水を一口飲んでホッと息をついた。

訴状四通。——誰に書いてもらおうか。

喜作も、一応読み書きはできるが、大目付に差し出すような書状はとても書けない。村を出るとき、村の長老が同じ訴状を四通したためてくれた。それを大事に持って来たのだ。

これから誰かに書いてもらうにしても、直訴はご法度だ。訴状と承知で書いてくれる物好きがいるだろうか。

江戸は変り者がいくらもいる。捜せば見付かるにせよ、四人には、どこを捜せばいいのか見当がつかない。

「ああ……」

困っているのは、それだけではない。

もう宿賃を払う金がないのだ。

何しろ今ごろは「あの世」とやらへ行っているはずだったのだから。

——喜作は足を止めた。

声がする。

何だ？——女の声だ。

聞いていて、喜作が赤くなった。

こいつは、妙なものを立ち聞きしちまった。

階段の方へ行こうとすると、

「ああ……。彦三さん……」

と、女が呼ぶのが耳に入った。

「彦三さん」だって？

そうか。――ここの女中が、昨日彦三と話し込んでいたが……。

彦三の奴……。

江戸で娘にもてるとは。――どうせ死ぬ身だ。せいぜい楽しんでおけ。

床が鳴らないよう、喜作は用心しながら、そっとその場を離れた。

階段を上りかけたとき、

「待て」

と、低い声が呼び止めた。

「へえ。――お呼びで？」

わずかな明りに、土間に立った着流し姿の浪人が見えた。

「この宿の者じゃございませんので――」

と言いかけると、

「月ヶ瀬《つきがせ》村の者か」

喜作は目を丸くして、

「どうしてそれを……」

「お前は喜作だな」

喜作は何か本能的に「危い」と直感した。

階段を駆け上ろうとした喜作の背へ、浪人の刀が斬りつけた。

喜作が悲鳴を上げて倒れた。

「人殺し！　みんな、逃げろ！」

と叫んだのは、年長の者の責任感か。

浪人が踏み込んで、止《とど》めの一突き。——喜作は断末魔の声を上げて息絶えた。

「喜作さん！　どうした！」

階段の上から声がした。

「代りに俺が答えてやる」

浪人が、階段を上って行く。「この刀でな」

そのとき、浪人の前に、突然人影が立ちはだかった。——どこから現われたのか、まるで手品のように現われたのである。

「誰だ！」

「怪しいのはそっちだろうぜ」

と、その人影は言った。「罪もねえ百姓を斬ってどうする」

「どけ！　貴様も死にたいか」

浪人の剣が水平に払うと、その人影は一瞬に消え、

「どこを斬ってやがる。見当違いだぜ」

と、今度は階段の下から声がする。

「おのれ！」

浪人がダダッと階段を駆け下りると、宿の前で鋭い呼子《よぶこ》の音がした。

「お役人が来るぜ」

「邪魔しおったな！　何者だ！」

「人殺しに名のる名は持ち合せちゃいねえよ」

浪人は舌打ちして、土間へ下りると、正面のくぐり戸から駆け出して行った。

「——何ごとで？」

宿の主人が明りを手にやって来る。

「喜作さん！」

民吉が、血に染まって倒れている喜作を見付けて駆け寄った。

宿の主人が腰を抜かす。

「——米造！　彦三！」

と、民吉は大声で呼んだ。「どこだ！　無事か！」

浪人を遮ったふしぎな男の姿は、すでにどこにもなかった。


「お手数をおかけしまして」

米造が頭を下げる。

「うむ。遺体は検分がすめば下げ渡す。改めて参れ」

「承知いたしました」

三人は自身番を出て、しばし無言で歩いていたが、

「――分らねえ」

と、民吉が言った。「どうして俺たちを斬ろうとするんだ？」

「さあな」

米造が首を振って、「それより――どうする、これから？」

「やめるわけにゃいかねえ」

と、民吉は言った。「喜作さんのためにも、俺たち三人でやりとげなきゃ」

三人は足を止めた。

「そうだろ、彦三？」

民吉に訊《き》かれて、彦三は顔を伏せたままだった。

「――おい、彦三、何とか言え」

と、民吉がつつくと、彦三は突然地面に這《は》いつくばって、

「勘弁してくれ！」

と苦しげに言った。

「彦三、お前――」

「俺は……俺は死にたくねえ！」

「何だと？」

「分った」

米造が腕組みして、「あの宿の女中だな？　ゆうべも、お前、妙な方から出て来やがって、おかしいと思ってたんだ」

「彦三……」

民吉はかがみ込むと、「お前の気持は分らねえわけじゃねえ。しかしな、喜作さんだって、女房子供があったんだ。米造にも俺にも女房がいる。それでも村のために死のうと決めたんじゃねえか」

と、穏やかに言った。

「分ってる……。俺にだって分ってるよ。でも、俺は生れてこの方、こんなに生きていてえって思ったこと、ねえんだ。あのお種って子のためなら、どんな辛《つら》いことでも辛抱しよ

うと思えるんだ」

「辛抱してすみゃ、誰もこんな思いをして江戸へ出て来ねえよ。そうだろ？　餓《う》え死にしたら、辛抱もできねえんだぞ」

彦三が声を上げて泣き出した。――民吉は彦三がこんな風に泣くところを、生れて初めて見た。

いや、彦三自身、生れて初めて、こんな風に泣いたのだろう。

民吉はゆっくり立ち上った。

「米造。俺たち二人でもやれるかな」

「さあな。やってみなきゃ分らねえ」

――まだ明るい時刻だったが、川沿いの寂しい道だった。

にぎやかな通りだったら、彦三の振舞いに人だかりができていたろう。

影が一つ、三人の方へ伸びて来た。

「迷うことはない」

その声に、民吉はハッと飛びのいて、

「ゆうべの浪人だ！」

と叫んだ。

「今日は邪魔が入らぬ」

浪人の手が柄《つか》にかかった。

「彦三、逃げろ！」

と、民吉が言った。「自身番へ走って、お役人を呼んで来るんだ！」

「むだなことだ」

浪人が笑うと、刀を抜き放った。

と——その刃へ、カッッと小石が当った。

浪人が振り向く。

「ああ忙しい……」

下駄をつっかけて町娘が小走りにやって来る。「あら。——私のはねた石が当りまして？」

白刃にも驚く気配がない。

浪人は向き直ると、その娘に向って斬りかかった。

娘の下駄の片方が宙を舞って、浪人の刀がそれを真二つにした。同時に、もう一方の下駄が浪人の額へ打ち当り、浪人はよろめいた。

「——何者だ！」

「いささか剣術のたしなみがございますので」

娘は川を背に立つと、「斬られそうになったら、川へ飛び込むんですよ。風邪はひいても命は助かりますからね」

そこへ、

「えい、ほ。えい、ほ」

と、駕籠《かご》かきのかけ声が近付いて来た。

「おのれ、この次は逃さぬぞ」

浪人が刀を納め、小走りに立ち去った。

――民吉も、どっと汗が出て、膝《ひざ》が震えた。

「ありがとうございました！」

と、娘に礼を言う声も震えている。

「どういたしまして」

娘は二つになった下駄を拾って、「いずれにしろ、私のことも斬ろうとしたでしょうから
ね」

「おい、彦三、大丈夫か？」

民吉は、地べたに座り込んだままの彦三へ言った。

「俺……腰が抜けて……」

彦三は、座ったまま、まだガタガタ震えていた。

「やっぱり出たか」

と、次郎吉は畳に寝転がったまま言った。

「お化けの話じゃないのよ」

と、小袖《こそで》が苦笑して、「こっちは下駄でやり合ったわ。小太刀を抜くのは早いと思って」

「そいつはご苦労だったな」

「下駄を買ってもらうわよ。真二つにされちゃったから」

「いいとも。下駄くらい、いくらでも買え」

「下駄に合せた柄の反物も」

「下駄に合せるなんて、妙な話があるか」

次郎吉は起き上って、「ときに、あの三人を見て、どう思った？」

「一番年かさの人が斬られたんでしょ？」

「ああ。一番若いのが骨がありそうだ」

「コロッとした人は、宿の女中さんに惚《ほ》れてるみたいよ。いい人だわ」

少し間があった。

「――もう一人はどうだ」

と、次郎吉は言った。

「兄さんも、おかしいと思った？」

「お前もか」

「浪人が刀を抜いたとき、その一人だけが、逃げようともしなかったの」

「思った通りだ」

と、次郎吉は肯《うなず》いた。「どこの宿屋へ泊ってるか、この広い江戸で、そう簡単にゃ分るめえ」

「でも、どうしてあのお百姓たちを斬ろうとするの？」

「知れたことだ。直訴はご法度だ。大方訴状は駕籠まで届けられねえ。しかし、訴状だけが目当ての相手に渡ることもある」

「それで不正が知れちゃまずいわけね」

「だから、あの百姓たちの住んでる藩の誰かが、直訴そのものを止めようとしてるんだろう」

「可哀そうに。――あの人たち、どうするのかしら」

「大目付に訴状を渡すつもりらしい。まあ九分九厘、訴状は届かねえだろう」

「じゃ、死に損？」

「覚悟の上だろう。しかし今のままじゃ、訴状も届くまい」

そのとき、表に、

「ごめん下さいまし」

と、声がした。

「あら、あの若いお百姓だわ。──お待ちを」

小袖は立って行って引戸を開けた。

「先程はありがとうございました」

「お一人？」

「へえ。──お願いがあって参りました。私は民吉といって──」

「名のるにゃ及ばねえよ」

次郎吉が振り向くと、

「あ……。あんた、あのときの……」

と、民吉が次郎吉を見て、目をみはった。

奮闘

「まだすまないのかい？　のろまだね、お前は、本当に」

宿の女将《おかみ》のお叱言《こごと》が飛んで来る。「早く片付けておやすみ」

「はい、すみません」

と、お種は答えた。

次から次へと用を言いつけといて、「まだすまないのか」はないだろう。

心の中で文句は言っても、決して口には出せない奉公人の辛《つら》さである。

お種は、この小さな宿屋で、いつも一番遅く寝て、一番早く起きる。使用人が少ないので、何でもやらなくちゃならないのだ。

それでも、ホッと一息つけるのは、夜もふけて、すっかりぬるくなったお風呂《ふろ》に一人でゆっくり浸《つか》るときだ。

もう、みんな寝ているので、誰に遠慮もいらない。——お種は湯舟に身を沈めて、大きく息をついた。

「彦三さん……」

恋に身を灼《や》いても、毎日の仕事は減りはしない。彦三も、明日には死んで行くかもしれない身。

それでも、お種は幸せだった。

世の中に、こんなにわくわくすることがあるなんて！　恋って、何てすてきなものなんだろう！

あの人も、私のことを想って、眠れずにいるかしら……。

目をつぶって、彦三との幸せなひとときの思い出にふけっていると——風呂場の外で何かのぶつかる音がした。

人の声。――何だろう？

風呂場の窓をそっと開けると、そこは裏手の細い露地だ。

人影が裏口に固まっていた。一人、二人……。三人はいる。

「抜かるなよ」

と、一人が言った。

「相手はたかが百姓だ」

と、他の一人が笑う。

「だが、暗がりだからな。逃げられぬようにな」

「宿の者が起きて来たら？」

「構わぬ。斬れ」

ガタッと音がした。

お種には、それが裏口のカンヌキを外す音だと分った。

誰かが中から開けて、侍たちを引き入れている！

ガタガタと戸が開く。

お種は、一瞬立ちすくんだ。――あ、あの人が殺される！

そう思うと、頭にカッと血が上った。

あの人を死なせてなるもんか！

お種は湯舟から飛び出すと、素裸のまま風呂場から駆け出し、ありったけの大声で、

「人殺し！」

と叫んだ。「みんな起きて！　人殺し！」

裏口から入って来た侍たちが、土間を回って駆けて来た。

「おのれ、騒ぐと――」

刀を抜いて、お種をおどそうとしたが――目の前に、若い娘が丸裸で立っているのを見て、一瞬立ちすくむ。

その間に、お種は階段をドタドタと駆け上った。

「彦三さん！　逃げて！」

眠れずにいたのだろう、彦三と民吉が階段の上に現われた。

「お種！　危ない！」

彦三がお種の手を取って引張り上げる。

侍たちが抜身を手に、お種を追って階段を上って来る。

「来やがれ！」

民吉が布団を大きく広げて、上って来る侍の上に投げた。スッポリと布団をかぶった侍は、あわてて振り落とそうとして足を踏み外し、ドドドッと階段をずり落ちてしまい、後に続く二人の侍も突き当たられて一緒に尻《しり》もちをついた。

「おのれ！」

と、真赤な顔になった侍が起き上ると、不意に明りが消えた。

「おい、明りだ！」

と、侍が怒鳴る。

暗がりの中、剣が空を切る音がした。

短い悲鳴。呻《うめ》き声。

「おい、どうした！」

と叫んだ侍も、次の瞬間には、「ウッ！」

と、低く呻いた。

「どうした！」

「斬られた……手がきかん」

「誰がやった？」

「貴様、刀を振り回したな！」

「俺ではない！　俺も右足がしびれて……」

「ワアッ！　俺を突いたな！」

「知らん！　貴様こそ俺の肩口を——」

宿の者が明りをつけると、三人の侍たちは、めいめいが肩や腕を押え足を引きずりながら、表の木戸から転がり出るようにして逃げて行った。

「——逃げた」

民吉が息を吐いて、その場に座り込んだ。

「彦三、大丈夫か？」

振り返った民吉は、彦三が裸のお種をしっかりと抱きしめているのを見て、ちょっと笑った。

「おい、せめてその子に浴衣《ゆかた》ぐらいかけてやれ」

しかし、彦三もお種も人目などまるで気にならない様子だった。

「お種！」

「あんた！」

「生きてて良かった！」

二人して、ワアワア、辺りもはばからずに泣いている。

民吉は、仕方なく自分の浴衣を脱いで裸のお種にかけてやったが、当人たちはまるで気付いていない。

「やれやれ」

と、民吉が苦笑して、「結局、俺一人でやるしかねえのか……」

宿の主人がこわごわ階段を上って来ると、

「あの……」

「ご迷惑かけて申しわけねえ」

と、民吉は言った。「明日にゃ出て行くんで」

「いえ、そりゃまあ……」

と、主人は目をパチクリさせて、「宿賃は充分にいただいてますんで、あと何日ご滞在になろうと構わないんでございますが……」

これには民吉の方がびっくりして、

「何ですって？　宿賃を――」

「へえ、今日の昼間においでになった方が。それと、亡くなったお連れさまの供養を頼むと申されまして、金子をお預かりしております」

あの人だ。――次郎吉さんとかいった。

ふしぎな人だ。

宿の主人は、

「実は今しがた、もうお一人のお連れさまが、事情があるとおっしゃって先に発《た》たれました」

と言った。

民吉は驚かなかった。

米造の奴……。代官の側へ寝返ったのだ。しかし、怒る気にはなれなかった。女房子供を餓《う》えさせる辛《つら》さ。金でも握らされたら、裏切ってふしぎはない。しかし、米造だって苦しんでいるだろう。せめて、そうであってほしい、と願っていた。

「ときに、ご主人」

と、民吉は、まだ抱き合って泣いている二人の方へ目をやって、「あのお種さんという女中さん、こちらへ借金でもありますんで？　ああも好き合ってるんで、ぜひ一緒にさせてやりてえが」

「いえ、奉公の年季は明けませんが、何しろお侍の刀の前に一人で飛び出して行ったそうですな。えらいもんだ」

「本当ね」

いつの間にやら、主人の内儀《かみ》さんが起き出して、「あんたなら、私が殺されかけたって、平気でさっさと一人で逃げ出すだろうね」

「お客様の前で何だ！」

と、主人が渋い顔でたしなめる。

起き出して来た他の客が一斉に笑った。

民吉も笑って――大きなクシャミをした。

何しろ浴衣をお種にかけてやってしまっていたのだから。

ただ一人

「はい」

と、民吉は肯《うなず》いた。「間違いなく、同郷の米造でございます」

自身番の床に寝かされているのは、もう裏切ることもできない、変り果てた米造の姿だった。

――外へ出ると、江戸の空もまぶしいほど青い。

民吉が腕組みをして歩き出すと、

「お気の毒なことでしたね」

女が民吉を追い越しざま、「人目の多い所を選んで歩くんですよ」

あの次郎吉の妹だ。

そのままスッと他の人々の間に紛れ込む。

民吉は、よく分っていた。

あの浪人がつけ狙っているのだ。

しかし、人通りの多い往来では、まさか人を斬るわけにいかない。

——民吉が宿へ戻ると、お種が駆け出すような勢いで働いている。

「大丈夫かね」

と、民吉は訊《き》いた。「きちんと礼も言わなんだが」

「はい、どこもけが一つございません」

お種は赤くなって、「ゆうべは——お恥ずかしいところをお見せして」

「いやいや、あんたは立派だった」

と、民吉が言うと、彦三が階段を下りて来る。

「民吉、どうだった?」

「米造だよ」

「——やっぱりか」

彦三は悲痛な面持ちで、「もう、俺たち二人しか残っていないんだな」

「一人だ」

と、民吉は言った。「俺一人でやる」

「そんなわけにいかねえよ!」

「彦三、お前、さんざん俺に見せつけといて、それはないぜ」

と、民吉は笑って、「俺はな、思った。死ぬだけが能じゃねえ。しぶとく、とことん生き抜くのが、百姓の強さだってな。——お前は、このお種さんと所帯を持て」

「民吉。お前は――」

「死ぬのは一人で沢山だ」

と、民吉は胸へ手を当て、「訴状はあの小袖さんが書いて下すった。俺は何だか、うまくいくような気がしてるんだ」

「だけどよ、うまくいったって――」

「訴状がお取り上げになれば、お前も堂々とお種さんを連れて村へ帰れる。もし訴状が握り潰《つぶ》されちまったら、お前は江戸に残って、どんな商売でもして生きていけ」

と、民吉は彦三の肩を強くつかんだ。

「民吉――」

「俺は身仕度して出かける。大目付のお屋敷前で待ってりゃ、いずれお城から退《さ》がっておいでだろう」

お種がストンと床にしゃがみ込むと、

「ありがとうございます！」

と、泣きながら手をついた。

「お種さん、この彦三をよろしく頼みますよ」

民吉は笑顔で言って、足早に階段を上って行った。

彦三は階段に腰をおろすと、

「そんなわけにゃ……。俺一人が生き残るなんて……」

と、呻《うめ》くように言った。

「彦三さん」

「お種。――民吉にも女房がある。俺一人がのこのこ村へ帰って、どんな顔で民吉のかみさんに会えるって言うんだ」

お種は袖口《そでぐち》で涙を拭《ぬぐ》うと、

「あんたのしたいようにしておくれ」

と言った。「もしあんたが死んだら、私、生涯亭主は持たない」

彦三はお種の手を固く握って、

「ありがとうよ」

と、頭《こうべ》を垂れた。

そして自分も足早に、民吉の後を追って階段を上って行った。

民吉が足を止めて振り向く。

彦三が、二十歩ほど遅れてついて来て、一緒に足を止めている。

「馬鹿野郎！　帰れ！」

と、民吉が怒鳴ると、

「俺は勝手に歩いてるんだ」

と、彦三が言い返す。「ここは天下の往来だぞ。俺がどこへ行こうと構わねえだろ」

「だったら、俺の跡をついて来るな」

「ついて歩いてんじゃねえよ。お前が俺の行こうとする方へ、先に歩いてるだけだ」

「彦三、お前……」

民吉は、そう言いかけて肩をすくめると、またスタスタと歩き出す。

すかさず彦三もついて行った。

民吉は角を曲ると――やおら駆け出した。

彦三が角を曲ると、

「おい！　民吉！　どこにいるんだよ！」

と、あわてて叫んだ。「――民吉！　待ってくれ！」

彦三も必死で走ったが、もともと足は遅い。

それに、民吉はちゃんと大目付の役宅の場所を調べていたが、彦三は自分が今どこにいるのかもよく分っていない。

たちまち「迷子」になって、

「民吉！――おい、どこにいやがるんだよ！」

と、情ない声を上げるはめになったのである……。

やっと、か……。

行列が目に入ったとき、民吉はさすがに膝《ひざ》が震えた。

喜作たちと一緒だったときには、

「共に村のために死ぬんだ！」

と思っていれば良かった。

しかし、今は一人である。

自分で、「死にに行く」のだ。

それは恐ろしいことだった。

刀に斬られたら、どんなに痛いか。その痛みをこらえて走り続けられるだろうか。

おこう……。女房の名を呼んでいた。

お前に会いてえよ。生きて、もう一度。

どんなに貧しくても、苦しくても、お前となら耐えて行ける気がする……。

行列の供揃いの侍たちが見える。

しっかりしろ！

村のためだ。――村人たちのためなんだ！

自分へそう言い聞かせるのだが、思い浮ぶのは、おこうの白い肌、民吉の下で眉《まゆ》を可愛く寄せてしがみついてくる、あのときの表情だった……。

「開門！」

と呼ばれる声で、民吉はハッと我に返った。

門の前で行列は止っている。

今だ！

駕籠《かご》が静かに揺れていた。

民吉は懐から訴状を取り出すと、大きく息を吸って、駆け出そうとした。

「狼藉者《ろうぜきもの》だ！」

と、供の侍の一人が叫んだ。

飛び出して来る人影。

「駕籠を守れ！」

バラバラッと侍たちが駕籠の周囲へ固まった。

同時に侍の数人が刀を抜いて、前のめりによろけるような足どりで飛び出して来た男へと駆け寄り、斬りつけた。

一太刀、二太刀、浴びせられて、男はたちまち血に染まり、倒れた。

「――辺りを調べろ！」

と、上ずった声。

「ともかくお駕籠を中へ！」

「おお、そうだ」

するど、駕籠の中から、

「何ごとだ」

と、声がした。

「怪しき者が。切り捨てでございます」

「何者だ」

「よくは分りませぬが……」

「直訴か」

「さて……。おい！　懐を見ろ！」

倒れた男の懐を探った侍が、

「訴状らしきものはございません！」

と言った。

「よし、後ほど報告せい」

「かしこまりました」

駕籠は門の中へ入ろうとしたが――。

「待て！」

と、駕籠の中から声がした。

「いかがなされました？」

やや間があって、

「いや。——よい。中へ」

駕籠の中で、大目付は啞然《あぜん》としていた。

一体いつの間に？

駕籠の外の家来と話している間に、いつしか膝の上に一通の書状が落ちていたのである。

そこには〈訴状在中　小倉《おぐら》藩月ヶ瀬村百姓衆に代りて　鼠〉と記されていた。

開くと、中からみごとな筆跡の訴状が現われた。

「〈鼠〉か……。味なことをやる」

と、大目付は呟《つぶや》くと、訴状を懐へしまった。

行列が門内へ消えるとき、いつの間にか供の侍の一人が姿を消していたことなど、誰も気付かなかった……。

彦三は、もういい加減暗くなってから、やっと宿へ辿《たど》り着いた。

足が棒のようになって、ヘトヘトだった。

「あんた！」

お種が飛び出して来た。「どこをほっつき歩いてたのよ！」

「俺は……道が分らなくて……」

彦三は、上り口にドサッと座り込んだ。

「本当にもう……。どこか別の行列に間違えて飛び込んだんじゃないかって、気が気じゃなかった」

「飛び込むって、おめえ……」

彦三は息を切らして、「道も分んねえのによ、歩いてりゃ行列に出くわす、ってもんでもねえだろ」

「でも、良かった！　生きて帰って来てくれて」

お種が彦三を後ろからギュッと抱きしめた。

「でも……民吉は今ごろ……。俺は申しわけなくって」

と彦三が涙を拭《ぬぐ》うと、

「誰に申しわけねえって？」

びっくりして振り向いた彦三は、当の民吉が階段を下りてくるのを見て、目を丸くした。

「民吉！　お前――」

「お前も死ななくて良かったぜ」

民吉は笑って、「ともかく上んな」

二階の部屋へ入り、障子を閉めると、

「俺が大目付様の役宅の前で行列を待ってるとな、あの浪人が現われたんだ」

と、民吉は言った。「てっきり、斬られると思った。そしたら――いきなり誰かが浪人に当て身を食らわしてよ。気を失った浪人者に、俺の羽織を着せた」

「へえ……」

「そして、まだフラフラしてる浪人を、行列の方へ向ってドンと押し出したんだ。行列の方じゃ、『狼藉者！』って声が上り、お供の侍たちがワッとやって来て、あの浪人を叩《たた》き斬っちまった」

「じゃあ……訴状は？」

「ここにある」

民吉は訴状を取り出し、「もう一通、同じものを間違いなく大目付様へ届けて下さったそうだ」

「一体誰が……」

「訊《き》くな、とよ。何もかも忘れてくれ、ってことだ」

「さっぱり分らねえ」

と、彦三は首をかしげた。「じゃ、ともかく、俺たちゃ死なねえで良くなったのかい？」

「そういうことだな」

「何とまあ！」

彦三は急に力が抜けたようで、「江戸ってのは、わけの分らねえ所だな！」

「ありがとうございました」

宿の主人が出て来る。

「ご亭主、色々とお世話になりまして」

民吉は旅仕度を調えて礼を言った。

喜作、米造の二人のお骨を納めた白木の箱が並んでいる。

「お種をどうぞよろしゅう」

「へえ、こちらこそ」

民吉が二階の方を見上げて、「あの二人、何を手間どってやがる」

彦三とお種も、共に月ヶ瀬村へ帰るのである。

そこへ、

「やあ、お発《た》ちだね」

次郎吉と小袖が入って来た。

「これはどうも……」

民吉はあわてて深々と頭を下げ、「何とお礼を申し上げていいのか――」

「忘れるのが礼、と言ったぜ」

「そうでした。つい、うっかり」

民吉は頭を叩いた。

「お骨も持って……」

と、小袖が言った。

「へえ。二人とも、直訴しようとして斬られたということにしようと思います。本当のことは、俺たちが胸にしまっとけばすむわけで……」

「それがいい」

と次郎吉は肯《うなず》いて、「知り合いに聞いたが、大目付の手の者が月ヶ瀬村へ発ったとか。まあ、何とか手は打ってくれよう」

「百姓衆も助かります。――彦三の奴、何してやがる」

「俺が呼んで来てやろう」

次郎吉が、身軽にトントンと階段を上って行くと、「――彦三さん」

ガラッと障子を開けると――旅は民吉と一緒なので、二人きりの時間はないかもしれない、というわけか、彦三とお種が声を殺して夢中で抱き合っている最中。

次郎吉はさすがにあわてて、

「おっと失礼！」

と、障子を閉め、急いで階段を下りようとして――。

何に気をとられたんだか、足を踏み外して、ドドドッと階段を下まで滑り落ちる。

「いてて……」

したたかお尻《しり》を打って、次郎吉はしばし立ち上れなかった。

「何よ、全く」

小袖は苦笑して、「階段から落ちるなんて。――〈鼠〉が泣くわよ」

と、小声で呟いたのだった。

解説

二木てるみ（女優）

人が生きていく中で〈身の丈〉とか〈分相応〉などという言葉が良く使われる。私もことある毎に祖母や両親から言われてきた。

「自分の身の丈のことをなさい」

幸か不幸か素直過ぎる私は、諸先輩のお言葉を忠実に受け止め、出来るだけ〈身の丈〉で生きて来たつもりである。しかし……不覚にもこの歳になり、その〈身の丈〉をとんでもなく越えたことをしてしまうに至った。「解説!?」赤川次郎氏のご著書に「解説!?　ワタシが！」ただ、ただ、この現実にたじろいだ。とんでもない魔法の粉をかけられたかのように、その作戦にハマってしまった自分が今でも良く分からない。世間では、身の丈以上に高く、分不相応に行動することがジョウシキの時代？　えいっ！　一生に一度ぐらい、そんなジョウシキから後れを取らぬよう清水の舞台から飛び降りてみるのも悪くないか。何とか腹を据えてみたものの……果たしてどうなることやら。出来るだけ平常心で赤川氏に恥をかかせぬよう無事着地出来ればと思っている。

さて、その魔法使いなる赤川次郎氏との出会いから認《したた》めさせて頂く。それはパソコン上から始まった。なんて書き方をするとジュニア小説の書き出しのようだが。

昨年のこと、

「てるみさん！　ブログに超有名な作家先生からの書き込みがアリマスヨ！」

HPを管理してくれている女性からの突然の連絡。PCは、まめにチェックしている私だが、たまたま慌しく過ごしていた数日間開いていなかったことに気づき、とりあえずPCの前に座った。早速ブログを開くと、私の目に飛び込んで来たその〈超有名な作家先生〉のお名前は〈赤川次郎〉と記されていた。

「えっ！　あの、三毛猫さんの？　どうして？　ワタシに？　あっ！　イタズラだ⁉」

ネット上での悪さにあまり免疫の無い私はアレコレ頭を巡らせてみたが、とりあえず心を落ち着かせて恐る恐るその先の文章に目を移した。そこには私への沢山のメッセージが書かれていた。昔出演した数多くの映画の話、ブルーリボン賞を頂いた『赤ひげ』について……幼少時代から今日までこの世界を歩いて来たことへの賞賛……挙句には数年前に出版した私のエッセイ集の読後感想まで……ｅｔｃ。温かで真摯《しんし》な文章が丁寧に綴《つづ》られていた。気づくと私はPCの前で正座して固まっていた。

「何故⁉　何故！　赤川次郎氏が私のような者に⁉」

狐《きつね》に摘《つま》まれたようだった。直ぐに情報をくれた女性に電話を入れた。

「私どうしよう！　本物の赤川次郎氏よ！　どうしよう？」

「てるみさん凄《すご》いですね！　だから、言ったでしょう、インターネットって繫《つな》がっちゃうんですよ色々（笑）。頑張ってください！　これからも」

ワープロさえ打つことの出来なかった私が、父の手ほどきを受けて初めてパソコンに触れたのは今から十年ほど前。父は当時七十五歳。戦後すぐタイプの仕事をしていた父は滅法この手のメカに長《た》けていた。カタカナ表示など儘《まま》ならずお手本の文字表を見ながら一字一字打ち込んでいた私が、やっとの思いで仕上げたメールを〈送信〉出来るようになり、その文章にまさかの返信を貰《もら》った時のまるで宇宙人から返事が来たかのような奇妙な嬉《うれ》しさは今までに味わったことの無い感覚だった。それまで傍観者として非難していたこの兵器に私はどんどん汚染されて行き、パソコン用語でのやり取りも解説書無しでこなせるようになっていった。考えてもいなかった五十の手習いであった。そして時々依頼を受けるコラムや機関誌などへの原稿、デジカメなどの写真も〈添付〉などという工程が自力でこなせるほどに腕を上げた。

「サァ、そろそろブログ作りましょう！」

そう促されて開設した場所に、なんと！　このような勿体《もったい》無いお便りを頂戴《ちょうだい》できるとは……文明の利器の凄さに改めて戸惑っていた。

私は大きく深呼吸をして、その書き込みに返信を送らせて頂いた。そしてPCのキーを叩《たた》きながら、突然思い出した〈そうだ！　赤川氏は子供達の高校の大先輩でもあるのだ……〉文化祭の折などお名前を目にした遠い記憶が一気に蘇《よみがえ》った。そんな思いも募り、ブログの返信にしては、かなり長文を書いてしまい、後日、私のファンの方から「有名な先生へのお返事は長く書くのですね」などと、痛い忠告を受けてしまった。私が苦しい詫《わ》び文を認めた様子も確認されていらした赤川氏は、「却《かえ》って申し訳ないことをしました」と今度は事務所宛《あて》にお気遣いのお便りとご著書をお送りくださり、またまたひれ伏してしまった私である。

私にとって夢物語のような幕開けから始まったご縁は、〈往復メール〉にまで発展させて頂き、これも父の手ほどきと妙なところで父に感謝した。編集者の方々を交えてのお食事会にもお誘いを受けたりと、私にとって貴重な時間を沢山頂いている訳だが……発展に発展を遂げた先、何故？　赤川次郎著『鼠、江戸を疾《はし》る』の片隅に私が登場してしまうのか？　という流れに移りたいと思う。

赤川ファンの方には叱られてしまいそうだが、もともとミステリーというものに縁のなかった私は、赤川氏の作品にも殆《ほと》んど触れることなく過ごしてきてしまった。正直なところミステリーに楽しくハマっていられる時間が持てなかった、というのが現実だったかもしれない。

この度お目にかかれる時を得て、不勉強ながらこの一年で一気に赤川作品漬けになった私は、頭の中が〈赤川色〉に染まっている訳で時々主人公が夢に現れたりする有様（笑）。短期間で集中講座を受けたようなもので、そうなると同じ赤川ミステリーでも其々《それぞれ》の作品の微妙な違いを敏感に摑《つか》み取る能力？が育つのだろうか……次々と作品を読み進める中で『鼠、江戸を疾る』を手にした時、違った風を感じ、のめり込んでしまったのだ。時代物ということもあるが、まるで映画館で時代劇を観るようであった。新人賞を獲《と》られた『幽霊列車』に登場する少女が私は大好きで、まるで彼女が鼠小僧なる次郎吉の妹〈小袖〉に成り代わって登場したかのようで思わず嬉しくなった。数日間、私の心は〈鼠小僧長屋〉に滞在してしまったのである。

それからしばらくして、ようやく熱が冷めた頃、ある企画者から、〈江戸のモノを読んで欲しい〉という依頼があった。会場が上野の小さな寄席であることを聞き、思わず頭に浮かんだのが赤川氏の「鼠さん！」。早速、作品朗読のご承諾を得て当日に備えた。私は数年前から語りと音楽のコラボレーションを大小のステージで行って来て、その寄席会場でも楽器を入れ込んでみたかった。いつも支えて下さるミュージシャンは、なんと昔からの〈赤川次郎ファン！〉。役者は揃《そろ》った。二人してああだ、こうだ、ボルテージは上がり試行錯誤の結果、無事構成が完成した。現在の新宿歌舞伎町、或《あるい》は賑《にぎ》やかな浅草辺りを想像しながら、オープニングはシンセサイザーでジャズ風に音を入れてみた。

お忙しい中、当日駆けつけて下さった赤川氏は私の記憶が勘違いでなければ（多分）仕上がりをとても気に入って下さったようであった。楽屋でミュージシャンと有頂天になったことが思い出される。鼠小僧なる次郎吉とその妹の息の合ったやり取りが読んでいて無性に楽しく、濡《ぬ》れ場《ば》あり、殺陣《たて》あり、一人何役も演じながらステージに居ることを忘れ私も江戸の世界に舞っていた。

その数ヵ月後お目にかかった折、赤川氏からこんなお話を伺った。

「鼠小僧ってかなりいい男だったみたいで、その姿を間近で見た人がいるんです。そんなことが書かれている本があるんですよ」

「それ、なんていう本ですか!」

私は身を乗り出してその本のタイトルをメモに書き取った。直ぐにでも読んでみたくなり、早速翌日書店に赴いたが生憎《あいにく》入手出来ず、注文を入れて落ち着かぬ日々を過ごしていた。やっとのことで手元に届いた本は『旧聞日本橋』〈長谷川時雨(一八七九〜一九四一)著、岩波文庫刊〉。江戸の風俗・世態・人情などをユーモアたっぷりに記した本であった。確かに著者「時雨」の祖母が見たという鼠小僧なる人物像が文中に記されていて〈最後の市中引き回しの際、彼は結城の着物を着て薄化粧をしていた〉とある。なんと生々しい話であろう。果たして鼠小僧なる人物が江戸の町に居たのか否かは別としても、私には衝撃的な話であった。

〈一体どうやって、このような本を見つけてこられるのか?〉。ただ、ただ素朴な疑問を抱く私。歴史をひも解く書物は世の中に一体どれくらい存在しているのか想像もつかないが……現代に生きる、私とほぼ同年齢の赤川氏は、どれだけの参考資料と今まで向き合ってこられたのだろう……目がくらむ思いだった。ご紹介して頂いた、たった一冊の書籍に対面しただけで私の知識は膨大に広がったのだ。赤川氏はその数十倍？　いや数百倍？目を通し、それらを消化しながら物語を展開させていく。江戸の世界を牛耳る仕掛け人になるのだ。ちょっとワクワクしてくる。

赤川氏は文楽にも長けておいでだ。それだけではない、歌舞伎も、ミュージカルも、いやオペラにも、新劇にも、小劇場にも……etc。お父上の影響と仰っていた映画については半端ではない知識。超多忙な執筆活動の狭間で、沢山の場のエネルギーを取り込んでいらっしゃるのだろう。しかしそれは、何かを書くための義務としてではなく楽しんでおいでのように感じる。きっとその場にご自身が生きていらっしゃるのだ。お逢《あ》いして色々な話を伺っていると、まるで歩く広辞苑《こうじえん》。しかしその一方で少年が何かを楽しんだ後のような真っ直ぐな心が伝わってきて私を楽しませ、ホッとさせて下さるのだ。我々役者に置き換えてみると「役を上手に演じる」人は沢山いるが「役を楽しんで生きる」ことの出来る人はそう多くは存在しない。

私はふと赤川氏の作品のベースになっているものは映像ではないかと思った。小さい頃から映画をよくご覧になる環境にいらしたと伺ったことがある。その記憶の中で書いていらっしゃるのではないか。読んでいて何の抵抗も無く場面が浮かんでくるのはその証《あかし》だと勝手に想像してしまう。世の中には赤川次郎作品を〈直ぐに読めてしまう小説〉と一言で片付ける人もいるが、私はそんな人に言いたい。自分の頭に映写機を取り付けて、目で追う文字をゆっくりと映像に起こしてみて欲しい。ストーリーだけを求めて読むのではなく、そこに登場する人物の歩く速度の違いや、声の違いがあり、間合いがあり、心の明暗があることを感じて欲しい。それらが鮮やかに浮かび上がって来る筈《はず》だ。丁寧に誰にも分かりやすく描かれているのだから「小説は脚本、監督、照明、小道具……皆一人で遣《や》れるから楽しいですよ!」赤川ミステリーは〈映像の小説〉だと思う。

イマジネーションを持てなくなっている人々が急増しているという現代。日本人が忘れてしまっている粋《いき》という言葉。江戸の町に繰り広げられるツンと心に沁《し》みる人情話。文字をゆっくりと追いながら、読者各人の作る長編映画『鼠、江戸を疾る』を是非堪能《たんのう》して欲しい。

本書は二〇〇四年十二月、小社より単行本として刊行されました。

鼠《ねずみ》、江《え》戸《ど》を疾《はし》る

赤《あか》川《がわ》次《じ》郎《ろう》

平成21年 12月25日　初版発行
平成25年 12月30日　11版発行

発行者●山下直久

発行所●株式会社KADOKAWA
〒102-8177　東京都千代田区富士見2-13-3
電話 03-3238-8521（営業）
http://www.kadokawa.co.jp/

編集●角川書店
〒102-8078　東京都千代田区富士見1-8-19
電話 03-3238-8555（編集部）

角川文庫 16025

印刷所●旭印刷株式会社　製本所●株式会社ビルディング・ブックセンター

表紙画●和田三造

ISBN978-4-04-387015-8　C0193

角川文庫発刊に際して

角川源義

第二次世界大戦の敗北は、軍事力の敗北であった以上に、私たちの若い文化力の敗退であった。私たちの文化が戦争に対して如何に無力であり、単なるあだ花に過ぎなかったかを、私たちは身を以て体験し痛感した。西洋近代文化の摂取にとって、明治以後八十年の歳月は決して短かすぎたとは言えない。にもかかわらず、近代文化の伝統を確立し、自由な批判と柔軟な良識に富む文化層として自らを形成することに私たちは失敗して来た。そしてこれは、各層への文化の普及滲透を任務とする出版人の責任でもあった。

一九四五年以来、私たちは再び振出しに戻り、第一歩から踏み出すことを余儀なくされた。これは大きな不幸ではあるが、反面、これまでの混沌・未熟・歪曲の中にあった我が国の文化に秩序と確たる基礎を齎らすためには絶好の機会でもある。角川書店は、このような祖国の文化的危機にあたり、微力をも顧みず再建の礎石たるべき抱負と決意とをもって出発したが、ここに創立以来の念願を果すべく角川文庫を発刊する。これまで刊行されたあらゆる全集叢書文庫類の長所と短所とを検討し、古今東西の不朽の典籍を、良心的編集のもとに、廉価に、そして書架にふさわしい美本として、多くのひとびとに提供しようとする。しかし私たちは徒らに百科全書的な知識のジレッタントを作ることを目的とせず、あくまで祖国の文化に秩序と再建への道を示し、この文庫を角川書店の栄ある事業として、今後永久に継続発展せしめ、学芸と教養との殿堂として大成せんことを期したい。多くの読書子の愛情ある忠言と支持とによって、この希望と抱負とを完遂せしめられんことを願う。

一九四九年五月三日

角川文庫ベストセラー

赤川次郎ベストセレクション①
セーラー服と機関銃
赤川次郎

星泉、17歳の高校二年生。父の死をきっかけに、弱小ヤクザ・目高組の組長を襲名することになってしまった！　永遠のベストセラー作品！

赤川次郎ベストセレクション②
セーラー服と機関銃・その後 ——卒業——
赤川次郎

18歳、高校三年生になった星泉。卒業を目前にして平穏な生活を送りたいと願っているのに周囲がそれを許してくれない。泉は再び立ち上がる!?

赤川次郎ベストセレクション③
悪妻に捧げるレクイエム
赤川次郎

ひとつのペンネームで小説を共同執筆する四人の男たち。彼らが選んだ新作のテーマは「妻を殺す方法」だった——。新感覚ミステリーの傑作。

赤川次郎ベストセレクション④
晴れ、ときどき殺人
赤川次郎

私は嘘の証言をして無実の人を死に追いやった——北里財閥の当主浪子は19歳の一人娘加奈子に衝撃的な手紙を残し急死。恐怖の殺人劇の幕開き！

赤川次郎ベストセレクション⑤
プロメテウスの乙女
赤川次郎

急速に軍国主義化する日本。そこには少女だけで構成される武装組織『プロメテウスの処女』があった。赤川次郎の傑作近未来サスペンス！

赤川次郎ベストセレクション⑥
探偵物語
赤川次郎

探偵事務所に勤める辻山、43歳。女子大生直美の監視と「おもり」が命じられた。密かに後をつけるが、あっという間に尾行はばれて……。

赤川次郎ベストセレクション⑦
殺人よ、こんにちは
赤川次郎

今日、パパが死んだ。昨日かもしれないけど、私には分らない。でも私は知っている。本当は、ママがパパを殺したんだっていうことを……。

角川文庫ベストセラー

赤川次郎ベストセレクション⑧
殺人よ、さようなら　赤川次郎

あれから三年、ユキがあの海辺に帰ってきた。ところが新たな殺人事件が――目の前で少女が殺され、奇怪なメッセージが次々と届き始めた！

赤川次郎ベストセレクション⑨
哀愁時代　赤川次郎

楽しい大学生活を過ごしていた純江。ある出来事から彼女の運命は暗転していく。若い女性に訪れた、悲しい恋の顛末を描くラブ・サスペンス。

赤川次郎ベストセレクション⑩
血とバラ 懐しの名画ミステリー　赤川次郎

紳二は心配でならなかった。婚約者の素子の様子がヨーロッパから帰って以来どうもおかしい――。趣向に満ちた傑作ミステリー五編収録！

赤川次郎ベストセレクション⑪
いつか誰かが殺される　赤川次郎

永山家の女当主・志津の誕生日を祝うため、毎年行われる余興、それは「殺人ゲーム」――。今年も喧騒と狂乱、欲望と憎悪の宴の幕が開いた！

赤川次郎ベストセレクション⑫
死者の学園祭　赤川次郎

立入禁止の教室を探険する三人の女子高生。彼女たちは背後の視線に気づかない。そして、一人一人、この世から消えていく……。傑作学園ミステリー。

冒険配達ノート
夢から醒《さ》めた夢　赤川次郎　絵／北見隆

ピコタンは、遊園地のお化け屋敷で出会った女の子の幽霊から、入れかわってくれと頼まれて――。大人も子どもも笑い、涙する傑作ファンタジー。

素直な狂気　赤川次郎

借りた電車賃を返そうとする若者。それを受け取ると自らの犯行アリバイが崩れてしまう……。日常に潜むミステリーを描いた傑作、全六編。

角川文庫ベストセラー

角川文庫ベストセラー

三毛猫ホームズの安息日　赤川次郎
当たった宝くじで夕食会！　だが片山は殺人犯とバスに同乗、晴美は現金強奪事件に遭遇し、石津は死体発見者に。夕食会に全員集合は叶うのか⁉

三毛猫ホームズの世紀末　赤川次郎
TV番組の収録に参加したのをきっかけに、人気の天才詩人・白鳥聖人と恋におちた女子大生・雪子。彼女は、なんと石津刑事の従妹だった⁉

三毛猫ホームズの正誤表　赤川次郎
晴美の友人の新人女優・恵利が、遂に主役の座を射止めた。だが、恵利は稽古に向かう途中で襲われて……。三毛猫ホームズが役者としても大活躍。

三毛猫ホームズの好敵手《ライバル》　赤川次郎
幼い頃からライバル同士だった康男と茂。彼らの運命を大きく分けた出来事とは？　三毛猫ホームズにも灰色・縞模様のライバル猫が出現！

三毛猫ホームズの失楽園　赤川次郎
美術品を専門に狙う、怪盗チェシャ猫が現れた。その大胆不敵な犯行はたちまち話題に……。三毛猫ホームズと怪盗チェシャ猫が対決する！

三毛猫ホームズの無人島　赤川次郎
炭鉱の閉山によって無人島となった〈軍艦島〉。十年ぶりに島に集まった住人たちを待っていたのは？　過去の秘密を三毛猫ホームズが明かす。

三毛猫ホームズの四捨五入　赤川次郎
N女子学園にやってきた編入生、棚原弥生を見て、担任の竜野は衝撃を受けた。その面差しが20年前の「彼女」にあまりにも似ていたから……。